PAUL
L' APÔTRE DES NATIONS

*

LES MISSIONS
EN GRÈCE

ÉDITIONS HAÏTALIS

PAUL
L' APÔTRE DES NATIONS

Réalisation DTP: Barrage Ltd

Textes: Maria Mavromataki

Réalisation Artistique: Fotini Svarna

Séparations des couleurs: Haïtalis

Impression: Lithografiki S.A

Photographies: Archives de la maison
d' edition Haïtali

ÉDITIEUR: HAÏTALIS

13, RUE ASTROUS, 13121 ATHÈNES,
GRÈCE

Tel: 210 5766883 - Fax: 210 5729.985

SOMMAIRE

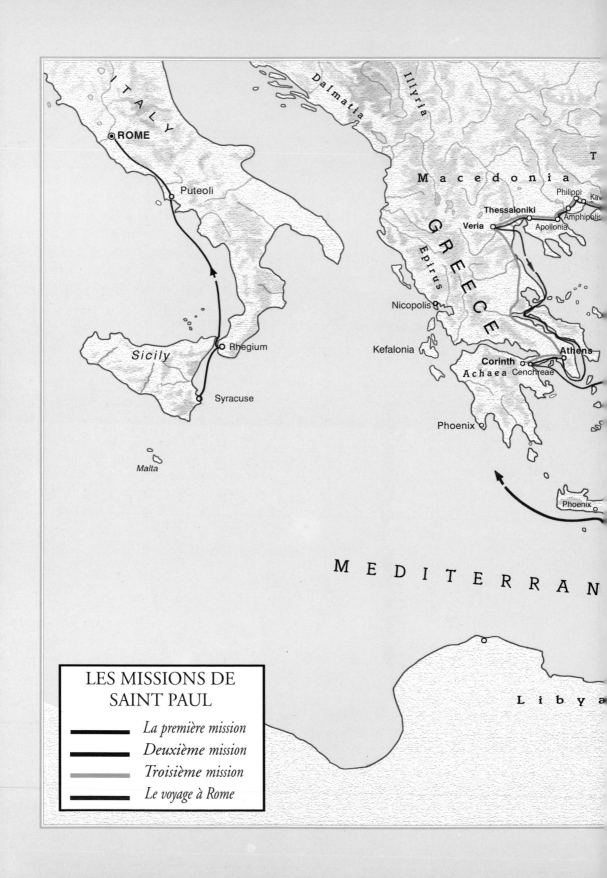

LES MISSIONS DE
SAINT PAUL

La première mission
Deuxième mission
Troisième mission
Le voyage à Rome

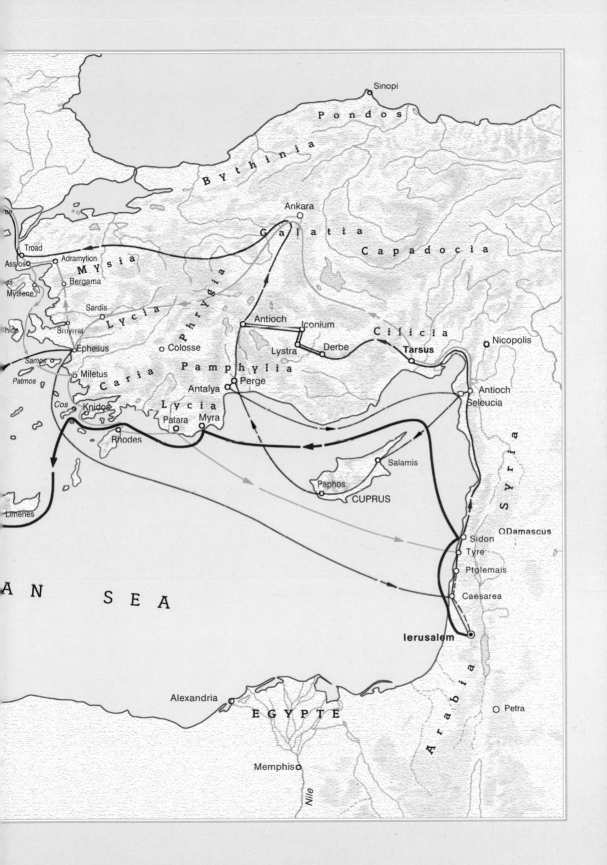

Sinopi

P o n d o s

B y t h i n i a

Ankara

G a l a t i a

C a p a d o c i a

Troad

Ass?os

Mytilene

M y s i a

Bergama

Sardis

L y c i a

P h r y g i a

Antioch

Iconium

C i l i c i a

Nicopolis

Smyrna

Lystra

Derbe

Tarsus

Ephesus

Colosse

C a r i a

P a m p h y l i a

Antioch

Miletus

Samos

Antalya

Perge

Seleucia

Patmos

L y c i a

Knidos

Cos

Patara

Myra

Rhodes

S y r i a

Salamis

Paphos

CUPRUS

Limenes

ODamascus

Sidon

Tyre

Ptolemais

Caesarea

A N   S E A

Ierusalem

Alexandria

E G Y P T E

A r a b i a

O Petra

Memphiso

Nile

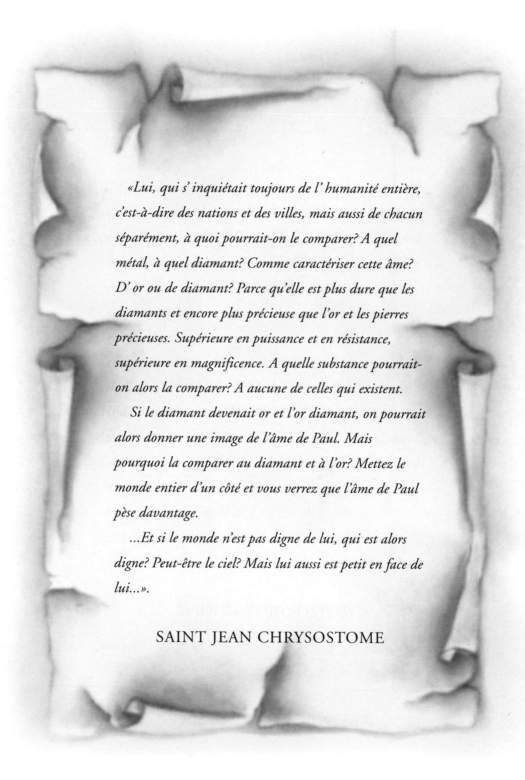

«*Lui, qui s'inquiétait toujours de l'humanité entière, c'est-à-dire des nations et des villes, mais aussi de chacun séparément, à quoi pourrait-on le comparer? A quel métal, à quel diamant? Comme caractériser cette âme? D'or ou de diamant? Parce qu'elle est plus dure que les diamants et encore plus précieuse que l'or et les pierres précieuses. Supérieure en puissance et en résistance, supérieure en magnificence. A quelle substance pourrait-on alors la comparer? A aucune de celles qui existent.*

Si le diamant devenait or et l'or diamant, on pourrait alors donner une image de l'âme de Paul. Mais pourquoi la comparer au diamant et à l'or? Mettez le monde entier d'un côté et vous verrez que l'âme de Paul pèse davantage.

...Et si le monde n'est pas digne de lui, qui est alors digne? Peut-être le ciel? Mais lui aussi est petit en face de lui...».

SAINT JEAN CHRYSOSTOME

7. Saint Paul, icone byzantine au Musée Byzantin et Chrétien

INTRODUCTION

«Vous allez recevoir une force, celle de l'Esprit Saint qui descendra sur vous. Vous serez alors mes témoins à Jérusalem, dans toute la Judée et la Samarie, et jusqu' aux confins de la terre» (Actes l, 8).

Tel fut le dernier message que Jésus-Christ adressa à ses disciples lorsqu'il les rencontra à Jérusalem après sa résurrection. Et, quand il fut définitivement élevé dans le ciel, les langues de feu du Saint-Esprit descendirent sur les douze disciples, faisant de ces pêcheurs incultes des prédicateurs éclairés. Grâce à leurs combats incessants pour propager l'Evangile, les premières communautés chrétiennes virent progressivement le jour à Jérusalem et à Samarie.

Si les disciples du Christ ouvrirent la voie vers le christianisme, c'est à Paul que l'on doit les fondements de la nouvelle religion. Ce persécuteur fanatique des chrétiens fut rapidement converti et consacra le restant de sa vie à des missions apostoliques. En faisant de nombreux voyages dans tout le bassin méditerranéen, il réussit à transporter le message chrétien hors des frontières de la Judée, de l' Asie Mineure et de la Grèce, jusqu'en Italie et en Espagne. C'est pour ainsi dire exclusivement grâce à l'apôtre Paul que le flambeau des nouvelles conceptions religieuses fut transmis sur le sol européen.

Les activités apostoliques de saint Paul, ses conceptions et son enseignement sont relatés en détail dans les Ecritures Saintes. C'est à lui-même que l'on attribue les treize épîtres contenues dans le Canon du Nouveau Testament. «Ce salut a été écrit de ma propre main, à moi Paul, et ceci est signe d'authenticité pour chaque épître. C'est ainsi que j'écris toujours...» (I Thessaloniciens 3, 17). Qu'elles aient été écrites par lui-même ou dictées à l'un de ses compagnons, les épîtres de saint Paul constituent notre principale source de renseignements sur son action. En ré-

9. Jesus Christ et les Apôtres (la Vigne), icone byzantine au Musée Byzantin et Chrétien

lité, il s'agit d'écrits traitant de différents thèmes du christianisme, adressés à des chrétiens ou à des Eglises chrétiennes. Ceux destinés aux villes grecques de Corinthe, de Philippes et de Thessalonique, qui constituent également les premiers spécimens de la littérature chrétienne, nous fournissent de nombreuses informations sur ses voyages en Grèce.

Il semble que les Epîtres de saint Paul aient été rédigées vers le milieu du Ier s. apr. J.-C., tandis que les «Actes des apôtres» furent composés quelques décennies plus tard par saint Luc, comme suite à son Evangile. Dans cette oeuvre, il raconte la fondation de la première Eglise et l'action des apôtres, en s'étendant surtout sur la vie de saint Paul, l'apôtre des Nations. Médecin et compagnon de voyage, Luc décrit le chemin de Paul de Damas à Rome, en se basant aussi bien sur les témoins oculaires que sur son expérience personnelle. Les «Actes des apôtres», qui sont considérés aujourd'hui comme une source historique digne de foi, constituent une précieuse introduction aux Epîtres de saint Paul.

Toutefois aucun des écrits ci-dessus ne contient des renseignements suffisants sur sa jeunesse et sur la fin de sa vie. Ce vide est comblé par la première épître de Clément, évêque de Rome, aux Corinthiens, rédigée à la fin du Ier s. apr. J.-C. Selon cette dernière, Paul fut emprisonné sept fois, fut lapidé, arriva en Occident, avoua sa foi et fut mis à mort.

Saint Paul a été caractérisé par certains chercheurs comme étant le second fondateur –après Jésus-Christ– du christianisme. Nous ne savons pas s'il avait rencontré Jésus dans sa jeunesse, mais, tout de suite après sa conversion, il fut convaincu jusqu'au plus profond de son âme que le Christ avait eu pitié de lui et lui avait accordé sa grâce. Toute son oeuvre fut fondée sur la certitude inébranlable que Dieu l'avait choisi pour accomplir un grand dessein. Son amour pour le Christ et sa disposition naturelle à se battre jusqu'au bout pour ses principes et ses idéaux furent les leviers qui firent de son oeuvre un succès. Et ce furent ses armes pour affronter les dangers, les épreuves des voyages, les privations et les persécutions. «J'ai eu à supporter plus de travaux, plus d'emprisonnements, infiniment plus de coups. Souvent, j'ai été en danger de mort; cinq fois j'ai reçu des Juifs les trente-neuf coups de fouet; j'ai été battu de verges trois fois; j'ai été lapidé une fois, j'ai fait naufrage trois fois. J'ai passé un jour et une nuit dans l'abîme. Pendant mes nombreux voyages j'ai été en danger sur les rivières, en danger parmi les voleurs, en danger au milieu de ma nation, en danger parmi les païens, en danger dans les villes, en danger dans les déserts, en danger sur la mer, en danger parmi les faux frères; j'ai connu le travail et la peine, souvent les veilles, la faim, la soif, les jeûnes multipliés, le froid, le dénuement. Sans parler de tout le reste, chaque jour je suis assiégé par le souci de toutes les Eglises. Qui est faible, que je ne sois faible moi-même? Qui vient à tomber, qu'un feu ne me brûle? S'il faut se glorifier, je me glorifierai de ma faiblesse. Dieu, qui est le Père du Seigneur Jésus, sait que je ne mens pas» (II Corinthiens 11, 23-31).

Lorsque Paul écrivait cela, il n'avait pas encore souffert le plus grand martyre: l'emprisonnement et la mort. Au cours de son incarcération à Rome, peu avant sa fin, il gardait encore tout son courage et était prêt à se sacrifier. «Pour moi, je vais être immolé et le temps de mon départ approche. J'ai combattu le bon combat, j'ai achevé la course, j'ai gardé la foi. Et maintenant, la couronne de justice m'est réservée. Le Seigneur, juste juge, me la donnera en ce jour-là, et non seulement à moi, mais aussi à tous ceux qui auront cru en son avènement» (II Timothée 4, 6-8).

11. Apôtre Jean, détail du mosaïque de la Crucifixion du monastère de Daphni, vers 1100 après J.-C.

12. Détail du mosaïque de la Crucifixion du monastère de Daphni, vers 1100 après J.-C.

Paul
Avant sa
Conversion

Paul, connu également sous le nom juif de Saoul ou Saul, naquit à Tarse, en Cilicie, au début du 1er s. apr. J.-C. Bien que nous ignorions la date exacte de sa naissance, nous savons que lorsque Etienne, le premier martyr chrétien, fut lapidé, en 33 ou 34 apr. J.-C., il était encore jeune: «Et après l'avoir entraîné hors de la ville, ils le lapidèrent. Les témoins mirent leurs vêtements aux pieds d'un jeune homme nommé Saul» (Actes 7, 58). D' importants éléments concernant son origine sont fréquemment mentionnés dans les Epîtres: «...je suis de la race d'Israël, de la tribu de Benjamin, Hébreu fils d' Hébreux; quant à la Loi, Pharisien» (Philippiens 3, 5). Paul était également citoyen romain; d'autre part, dans sa patrie, il était entré très tôt en contact avec l'esprit grec.

Tarse, l'une des villes les plus importantes de la province romaine de Cilicie, connaissait un remarquable essor commercial et intellectuel, dont Paul n'était pas peu fier: «Je suis Juif, de Tarse en Cilicie, citoyen d'une ville qui n'est pas sans renom». (Actes 21, 39). Judaïsme et tradition gréco-romaine s'y étaient rencontrés et y coexistaient en harmonie. L' Ecole de philosophie de Tarse, qui était aussi réputée que celles d' Athènes et d'Alexandrie, était fréquentée à cette époque par de célèbres stoïciens. Dans les écoles, on devait enseigner la langue grecque, que Paul connaissait et maîtrisait admirablement bien. C'est en grec qu'il écrivit presque toutes les Epîtres et c'est dans la Version grecque des Septante, réalisée à Alexandrie au IIIe s. av. J.-C., qu'il étudia la Bible. Paul était évidemment polyglotte et cet avantage fut d'une importance décisive pour son oeuvre apostolique. «Je rends grâces à Dieu de ce que je parle en langues plus que vous tous...» (I Corinthiens 14, 18). Les langues furent l'outil de son enseignement, le moyen de transmission du message chrétien.

La langue des Grecs lui fit découvrir très rapidement leur civilisation. Certains passages des Epîtres présupposent une certaine connaissance directe, ou tout au moins indirecte, des poètes grecs, comme par exemple l'aphorisme «les mauvaises compagnies corrompent les bonnes moeurs» (I Corinthiens 15, 33), que l'on trouve chez Euripide et Ménandre. De plus, l'emploi de certains termes philosophiques, d'images et d'idées trahit une certaine familiarité avec la vision du monde grecque. Toutefois, le fond de sa pensée était purement judaïque et les influences grecques, quelles qu'elles fussent, ne parvinrent pas à altérer les racines de son origine. Ce n' est que lorsque Paul embrassa le christianisme qu' il réunit le judaïsme et l' hellénisme sous une nouvelle langue, celle de Jésus-Christ.

Ses études en théologie judaïque, commencées à la synagogue de Tarse, furent complétées à Jérusalem. Comme il le dit lui-même: «...je suis né à Tarse, en Cilicie, mais j' ai été élevé à Jérusalem et c' est aux pieds de Gamaliel que j' ai été formé à l' exacte observance de la Loi de nos pères. J' étais plein de zèle pour Dieu» (Actes 23, 3). Gamaliel était un célèbre docteur de la loi, réputé pour sa sagesse et sa modération. Bien avant la conversion de Paul, il avait sauvé les

apôtres de la peine de mort que les grands-prêtres juifs voulaient leur infliger. Auprès de Gamaliel, Paul, qui avait l' intention de devenir rabbin, se plongea avec ardeur dans l' étude de la Loi. L' érudition qu' il acquit alors est décelable dans l' aisance avec laquelle il a inséré de nombreux passages de l' Ancien Testament dans ses Epîtres. Par ailleurs, l' argumentation sur laquelle il s' appuyait pour gagner les Juifs au christianisme provenait de la Bible elle-même. Quasiment toute l' Epître «aux Hébreux» est basée sur l' Ancien Testament, à travers lequel Paul s' efforça de démontrer la supériorité du Christ et de la nouvelle foi face à tous les prophètes, à la Loi et à la religion formaliste des Juifs.

Cependant, avant même qu' il eût épousé la religion chrétienne, cette connaissance de la Loi judaïque s' avéra son arme principale dans la lutte contre le christianisme. La réaction des Juifs contre les adeptes du Christ était inévitable, puisque l' avenir d' Israël dépendait de la juste application de la Loi, de la libération du joug romain et de la réalisation des prophéties annonçant sa gloire parmi les peuples. En raison de ces circonstances, mais également de sa

15. Jesus Christ, mosaïque du monastère d' Ossios Loukas, vers 1030-1040 après J.-C.

17. Détail du fresque du Chemin de Croix de l' eglise de Péribleptos à Mystras, 1360-1370 après J.-C.

forte personnalité, Paul devint très vite un adversaire acharné des chrétiens. «Vous avez certes entendu parler de ma conduite jadis dans le judaïsme, de la persécution effrénée que je menais contre l'Eglise de Dieu et des ravages que je lui causais, et de mes progrès dans le judaïsme, où je surpassais bien des compatriotes de mon âge, en partisan acharné des traditions de mes pères» (Galates l, 13-14).

Cette inimitié se manifesta pour la première fois dans les actes lors de la lapidation de saint Etienne. Selon les "Actes des apôtres", lorsque le Christ apparut à Paul, celui-ci parut se repentir de sa participation au martyre. «..quand on répandait le sang d'Etienne, ton témoin, j'étais là, moi aussi, d'accord avec ceux qui le tuaient, et je gardais leurs vêtements» (Actes 22, 20). Depuis ce jour-là et jusqu'à sa conversion, la lutte contre les chrétiens devint l'unique but de sa vie. «Quant à Saul, il ravageait l'Eglise; allant de maison en maison, il en arrachait hommes et femmes et les jetait en prison'» (Actes 8, 3). Et lorsque l'Evangile fut propagé jusqu'à Samarie et que la communauté chrétienne recrutait toujours davantage de membres, il s'acharna de plus belle. Le christianisme était pour lui une sombre hérésie qui

sapait la religion judaïque et trahissait la parole de Dieu. «Pour moi donc, j'avais estimé devoir employer tous les moyens pour combattre le nom de Jésus le Nazaréen. Et c'est ce que j'ai fait à Jérusalem; j'ai moi-même jeté en prison un grand nombre de saints, ayant reçu ce pouvoir des grands prêtres, et quand on les mettait à mort, j'apportais mon suffrage. Souvent aussi, parcourant les synagogues, je voulais, par mes sévices, les forcer à blasphémer et, dans l'excès de ma fureur contre eux, je les poursuivais jusque dans les villes étrangères» (Actes 26, 9-11).

Suivant toujours la même tactique, il décida de se rendre à Damas. Entre-temps, il avait reçu du grand prêtre une autorisation écrite lui permettant d'arrêter les chrétiens de la région et de les conduire à Jérusalem (Actes 8, 2). Mais ses projets concernant Damas ne se réalisèrent jamais, parce que, comme il le relate lui-même: «..Dieu par une révélation surnaturelle me fit connaître la vérité jusqu'alors cachée... Et de cet Evangile je suis devenu ministre par le don de la grâce que Dieu m'a confiée en y déployant sa puissance: à moi, le moindre de tous les saints, a été confiée cette grâce-là, d'annoncer aux païens l'insondable richesse du Christ» (Ephésiens 3, 3-8).

LA RÉVÉLATION
DE DAMAS

La conversion de Paul au christianisme fut un événement unique qui changea l'histoire de l'humanité entière. L'apôtre des gentils lui-même a raconté très souvent dans ses Epîtres comment le Christ lui apparut miraculeusement sur la route de Damas. Mais une description détaillée du miracle est donnée à trois reprises dans les "Actes des apôtres" (chapitres 9, 22 et 26). Les trois récits se complètent et le fait que leur auteur était un collaborateur de Paul atteste leur véracité.

Tous les témoignages écrits confirment que l'apparition du Christ eut lieu lorsque Paul se rendait à Damas dans le but d'arrêter les chrétiens qui s'y trouvaient. "Il faisait route et approchait de Damas, quand soudain une lumière venue du ciel l'enveloppa de sa clarté. Tombant à terre, il entendit une voix qui lui disait: «Saoul, Saoul, pourquoi me persécutes-tu?» — «Qui es-tu, Seigneur?» demanda-t-il. Et lui: «Je suis Jésus que tu persécutes. Mais relève-toi, entre dans la ville, et l'on te dira ce que tu dois faire» (Actes 9, 3-6). Dans une autre description, le Christ donne davantage de renseignements: «...je te suis apparu pour t'établir ministre et témoin des choses que tu as vues, et de celles pour lesquelles je t'apparaîtrai encore. Je te protégeral contre ce peuple et contre les païens vers lesquels je t'envoie, pour leur ouvrir les yeux, afin qu'ils passent des ténèbres à la lumière et qu'ils obtiennent par la foi en moi la rémission des péchés et leur part d'héritage avec ceux qui ont été sanctifiés» (Actes 26, 17-18).

Troublés par la parole divine, Paul et ses compagnons restèrent interdits et sans voix devant ce qui leur arrivait. "Saul se releva de terre, mais, quoiqu'il eût les yeux ouverts, il ne voyait rien. On le conduisit par la main pour le faire entrer à Damas. Trois jours durant, il resta sans voir, ne mangeant et ne buvant rien. Or il y avait à Damas un disciple du nom d'Ananie. Le Seigneur l'appela dans une vision: «Ananie!» – «Me voici, Seigneur», répondit-il. – «Pars, reprit le Seigneur, va dans la rue Droite et demande, dans la maison de Judas, un nommé Saul de Tarse. Car le voilà qui prie et qui a vu un homme du nom d'Ananie entrer et lui imposer les mains pour lui rendre

la vue». Ananie répondit: «Seigneur, j' ai entendu beaucoup de monde parler de cet homme et dire tout le mal qu' il a fait à tes saints à Jérusalem. Et il est ici avec pleins pouvoirs des grands prêtres pour enchaîner tous ceux qui invoquent ton nom». Mais le Seigneur lui dit: «Va, car cet homme m' est un instrument de choix pour porter mon nom devant les païens, les rois et les enfants d' Israël. Moi-même, en effet, je lui montrerai tout ce qu'il lui faudra souffrir pour mon nom». Alors Ananie partit, entra dans la maison, imposa les mains à Saul et lui dit: "Saoul, mon frère, celui qui m' envoie, c' est le Seigneur, ce Jésus qui t' est apparu sur le chemin par où tu venais; et c' est afin que tu recouvres la vue et sois rempli de l' Esprit Saint. «Aussitôt il lui tomba des yeux comme des écailles, et il recouvra la vue. Sur-le-champ il fut baptisé; puis il prit de la nourriture, et les forces lui revinrent» (Actes 9, 8-18).

L' intervention divine dans la vie et l' action de Paul dépasse véritablement la logique humaine. Le sens commun est incapable de concevoir comment un ennemi fanatique des chrétiens accepta si soudainement la parole du Christ et devint même par la suite un de ses infatigables messagers. Paul lui-même caractérisait l' événement de sa conversion comme étant un miracle de Dieu. «Je vous le déclare, frères, l' Evangile que j' ai annoncé ne vient pas de l' homme; car je ne l' ai reçu ni appris d' aucun homme, mais de Jésus-Christ lui-même qui me l' a révé-

lé... Quand Celui qui m' a mis à part dès le sein de ma mère et qui m' a appelé par sa grâce, trouva bon de révéler son Fils en moi, pour que j' annonce son Evangile parmi les païens...» (Galates I, 11-17). Nulle part dans les Epîtres il n' est fait mention d' une préparation progressive de son âme à la révélation qui le conduisit au christianisme.

Bien entendu, depuis la lapidation d' Etienne, le premier martyr chrétien, Paul n' ignorait plus la prédication des apôtres. La croyance profonde des chrétiens que Jésus-Christ était le Messie tant attendu, mais aussi leur courage devant les persécutions et les supplices avaient très probablement influencé son âme. Dans certains passages des Epîtres il est insinué que lui-même avait rencontré le Christ avant sa résurrection. «Ne suis-je pas apôtre? Ne suis-je pas libre? N' ai-je pas vu Jésus, notre Seigneur?» (I Corinthiens 9, 1). Mais cette information n' est pas confirmée de manière absolue et ne doit pas être considérée comme un événement historique. Ce qui a de l' importance, c' est que la révélation de Damas fut une expérience unique pour Paul et bouleversa son monde intérieur. Il resta trois jours aveugle et sans manger, incapable de comprendre cette métamorphose, car l' apparition du Christ avait fait s' écrouler en une fraction de seconde toutes les valeurs sur lesquelles il avait bâti sa vie. En un seul instant toute sa ligne de conduite fut profondément perturbée, ses objectifs furent anéantis, son esprit se paralysa et ne reprit vie que trois jours plus tard. Cette résurrection n'était qu'une nouvelle naissance, accompagnée de l'espérance de sauver les hommes.

Dès le moment où Paul embrassa le christianisme et entreprit ses missions apostoliques, il semble s'être très souvent questionné sur son action avant la conversion. Le reniement de soi qui caractérise sa lutte pour la propagation du message chrétien est dû en partie à son repentir pour son attitude précédente. «En dernier lieu, il a été vu aussi de moi, qui ne suis que l'avorton, car je suis le moindre des apôtres, moi qui ne suis pas digne d'être appelé apôtre, puisque j'ai persécuté l'Eglise de Dieu. Mais c'est par la grâce de Dieu que je suis ce que je suis, et la grâce qu'il m'a faite n'a pas été vaine. Au contraire, j'ai travaillé beaucoup plus qu'eux tous, non pas moi, pourtant, mais la grâce de Dieu qui est avec moi» (I Corinthiens 15, 8-11).

Après avoir été baptisé, Paul se mit immédiatement en route pour se rendre en Arabie Pétrée, où il pensait pouvoir pénétrer plus avant dans la parole de Dieu, afin de saisir par l'esprit tout ce que son âme avait accepté. Selon une autre version, il aurait commencé à enseigner tout de suite dans la région de Damas, appelée également Arabie. De retour dans la ville de Damas, il s'adonna avec zèle à la propagation de l'Evangile, provoquant la réaction des Juifs, qui voyaient leur partisan le plus farouche prêcher ce qu'il avait combattu. Très vi-te, ils décidèrent de le tuer, prévoyant qu'il constituerait une menace pour leur religion. «A Damas, le gouverneur du roi Arétas faisait garder la ville des Damascéniens pour s'emparer de moi. On me descendit par une fenêtre dans une corbeille le long de la muraille, et c'est ainsi que j'échappai de ses mains» (III Corinthiens 11, 32-33). Arétas IV le Philodème s'était emparé de Damas et d'autres régions de la Judée entre 37 et 40 apr. J.-C. Ce renseignement laisse présumer que Paul se convertit et qu'il s'en fuit de Damas au plus tard en l'an 40 de notre ère.

L'étape suivante fut Jérusalem, où, comme lui-même le rapporte, «j'arrivai au bout de trois ans, appelé par Dieu». (Galates 1, 18-19). Là grâce à Barnabé, il rencontra les apôtres, avec lesquels il lia des liens étroits. Au cours de cette période, sa vie fut menacée pour la deuxième fois et, après une apparition du Christ, il se réfugia à Césarée et à Tarse. Plus tard, il visita Antioche, où il retourna après avoir transporté avec Barnabé le produit des collectes à l'Eglise de Jérusalem. C'est d'Antioche que devait partit la propagation du christianisme dans le monde entier. L'apôtre Paul croyant désormais en Jésus-Christ avec son coeur et son âme, se fixa comme nouvel et unique but de sa vie l'enseignement chrétien. «C'est pour cet Evangile que j'ai été établi prédicateur et apôtre, et chargé d'in-struire les païens». (II Timothée1, 11).

20. Saint Paul, icone byzantine au Musée Byzantin et Chrétien

LA PRÉDICATION DE SAINT PAUL

«Paul, serviteur de Jésus-Christ, appelé à être apôtre, mis à part pour annoncer l'Evangile de Dieu. Cet Evangile, Dieu l'avait promis d'avance, par les prophètes, dans les Saintes Ecritures; il concerne son Fils, né de la race de David selon la chair, établi avec puissance Fils de Dieu selon l'esprit de sainteté, par sa résurrection d'entre les morts, Jésus-Christ notre Seigneur, par qui nous avons reçu la grâce et l'apostolat, afin d'amener à l'obéissance de la foi, pour la gloire de son nom, toutes les nations» (Romains 1, 1-5).

Comme nous le savons par les sources qui nous sont parvenues, la prédication de saint Paul, dans son ensemble, avait comme axe central l'incarnation et la résurrection de Jésus-Christ. Celui-ci, qui avait été la cible de son acharnement, devint par la suite le but absolu de sa vie et de son oeuvre. Puisque le Christ lui avait dévoilé son sacrifice pour la rédemption du genre humain, il devait lui-même, à son tour, le dévoiler à l'humanité entière.

En effet, Paul ne cessa jamais de prêcher le sacrifice imposé par Dieu à son fils pour racheter les péchés des hommes. Parce que personne au monde n'était ni juste, ni fidèle à la parole divine et le seul salut pour les pécheurs se trouvait dans le message porteur d'espoir du Christ. «Dieu a fait éclater son amour envers nous en ce que, quand nous étions encore des pécheurs, Christ est mort pour nous. Combien plus, étant maintenant justifiés par son sang, serons-nous sauvés par lui de la colère!.. Cette réconciliation est survenue par la mort du Christ, de même exactement que le péché et la mort sont survenus par Adam... Mais si la faute d'Adam a entraîné la mort des autres, à plus forte raison la grâce de Dieu et le don de cette grâce venant d'un seul homme — Jésus-Christ — ont-ils abondé pour les autres!...

22. La basilique B à Philippes, vers 540 après J.-C.

De même que, par la désobéissance d'un seul homme, tous les autres ont été rendus justes» (Romains 5, 8-19). L'incarnation et le martyre du Christ avaient été décidés bien avant sa naissance et même avant la création du monde. Le fils de Dieu, le Messie des prophètes, avait été fait homme pour le salut de l'humanité et constituait ainsi le pont entre les puissances terrestres et célestes. L'enseignement de Paul s'étendait même au-delà de l'incarnation, puisque l'oeuvre rédemptrice du Christ avait été parachevée par sa résurrection. Le triomphe contre la mort prouvait à tous son origine divine et augurait la résurrection des morts. "Quand sonnera la dernière trompette, les morts ressusci-teront incorruptibles, et nous serons changés. Il faut, en effet, que ce corps corruptible revête l'immortalité. Et, quand ce corps corruptible aura revêtu l'incorruptibilité, et que ce corps mortel aura revêtu l'immortalité, alors s'accomplira cette parole de l'Ecriture: «La mort a été engloutie dans la victoire». ... Grâces soient rendues à Dieu, qui nous donne la victoire par notre Seigneur Jésus-Christ!» (I Corinthiens 15, 52-57).

Selon saint Paul, le premier pas vers la communication avec le Christ est réalisé par le sacrement du baptême. Tous ceux qui sont baptisés participent à la passion et à la crucifixion, mais ils ont aussi l' espoir de ressusciter, comme Jésus. Paul fut baptisé par Ananias juste après sa conversion, mais lui-même ne baptisa qu' un très petit nombre de chrétiens. «A part ceux-là, je ne sache pas que j' aie baptisé quelqu' un d' autre. En effet, ce n' est pas pour baptiser que le Christ m'a envoyé, mais c' est pour annoncer l' Evangile» (I Corinthiens 1, 16-17). Toutefois, dans un de ces cas, le baptême fut accompagné de l' apparition immédiate du Saint-Esprit. Comme nous l'apprennent les «Actes des apôtres», alors que Paul se trouvait à Ephèse, il baptisa environ douze chrétiens, qui se mirent immédiatement à parler des langues étrangères et à prophétiser. Outre son don pour la rhétorique, Paul avait la faculté de faire des miracles qui prouvaient à tous la force que lui donnait sa foi en Dieu. «Car je ne me permettrais pas de parler de ce que Christ n' aurait pas accompli par moi, en parole et en oeuvres, avec la puissance des miracles et des prodiges, avec la puissance de l' Esprit de Dieu» (Romains 15, 18-19).

Par ailleurs, il ne cessa jamais de soutenir que la voix intérieure qui le guidait était la voix même du Christ. «Toute ma vie est le Christ, puisque je vis avec le Christ et que le Christ vit en moi» (Philippiens 1, 21). Bien que cette conviction constituât la force motrice de son oeuvre, elle ne le conduisit néanmoins jamais à se conduire de ma-

nière présomptueuse ou vaniteuse. «Qu' est-ce donc qu' Apollos et qu' est-ce que Paul? Ce sont des serviteurs, par le moyen desquels vous avez cru, selon ce qui a été ac-cordé à chacun par le Seigneur. J' ai planté, Apollos a arrosé, mais c' est Dieu qui a fait croître. Celui qui plante n' est rien, celui qui arrose n' est rien, seul Dieu compte qui fait croître» (I Corinthiens 3, 5-7). Ce n' est que lorsqu'il devait exhorter et encourager les chrétiens qu'il essayait de donner en exemple son combat. «Soyez mes imitateurs, comme je le suis moi-même du Christ» (I Corinthiens 11, 1).

Dans ses efforts pour stimuler la foi de ses auditeurs, Paul se transformait en orateur enflammé, qui avait recours à la langue de l' âme plutôt qu' aux figures de rhétorique. «Et ma parole et ma prédication n' ont pas consisté dans les discours persuasifs de la sagesse, mais dans une démonstration d' esprit et de puissance, afin que votre foi fût fondée non sur la sagesse des hommes, mais sur la puissance de Dieu» (I Corinthiens 2, 4-5). Il recourait toutefois fréquemment à d' habiles paraboles, quand il voulait mieux faire comprendre par des images les idées profondes du christianisme. En particulier quand il parlait de l' amour et de l' unité entre les hommes, son discours devenait narratif, presque poétique, afin de pouvoir ainsi toucher jusqu' aux coeurs les plus durs. «Quand je parlerais les langues des hommes et celles des anges, si je n' ai pas l' amour, je ne suis qu'un airain qui résonne, ou une cimbale qui retentit. Quand j'aurais le don de prophétie, et quand je connaîtrais tous les mystères et toute la science; quand j'aurais toute la foi jusqu'à transporter des montagnes, si je n'ai pas l'amour, je ne suis rien. Quand je distribuerais tous mes biens pour la nourriture des pauvres, quand je livrerais mon corps pour être brûlé, si je n'ai pas l'amour, cela ne me sert de rien» (I Corinthiens 13, 1-7). Mais s'il sentait que le péché l'avait emporté sur la parole de Dieu, il devenait un orateur dur et impitoyable. «...aujourd'hui que je suis absent,.... je déclare à ceux qui ont péché précédemment et à tous les autres, que si je retourne chez vous, je n'userai d'aucun ménagement... Cependant nous demandons à Dieu que vous ne fassiez aucun mal... afin que je n'aie pas à user de rigueur envers vous, selon le pouvoir que le Seigneur m'a donné pour édifier, et non pour détruire» (II Corinthiens 13, 2-10).

Malgré son enthousiasme et son abnégation, Paul n'était pas un utopiste romantique auquel la réalité aurait échappé. Les Epîtres prouvent qu'il possédait une profonde connaissance psychologique, une capacité étonnante à s'adapter à son auditoire. «Avec les Juifs je me suis comporté comme un Juif, afin de gagner les Juifs; avec ceux qui sont sous la Loi, comme si j'étais sous la Loi, afin de gagner ceux qui sont sous la Loi; avec ceux qui étaient sans la Loi, comme si j'eusse été sans la Loi, afin de gagner ceux qui étaient sans loi. J'ai été faible avec les faibles, afin de gagner les faibles; je me suis fait tout à tous, afin d'en sauver à tout prix quelques-uns» (I Corinthiens 9, 20-22). Paul avait de plus la capacité d'étudier à fond les situations et de les exploiter de façon à atteindre ses objectifs. Ainsi n'hésita-t-il pas, lorsque les Romains l'arrêtèrent à Jérusalem, à utiliser les avantages de son origine pour désarmer les juges et ses accusateurs. En déclarant qu'il était juif, il obtint la permission de se défendre, sa citoyenneté romaine lui évita le fouet, tandis qu'en proclamant qu'étant pharisien, il croyait à la résurrection des morts, il s'assura le soutien des Pharisiens qui se trouvaient dans la foule. (Actes chap. 21-23). Et lorque le grand-prêtre Ananias ordonna à ses serviteurs de le frapper sur la bouche, Paul le menaça en disant: "Dieu te frappera, muraille blanchie! Tu sièges pour me juger selon la loi et, au mépris de la loi, tu ordonnes qu'on me frappe!» (Actes 23,3).

Cette réaction n'était en aucune manière un mouvement de lâcheté et de peur devant le danger. Son unique intention était de pouvoir prêcher une fois de plus la parole de Dieu. Il savait aussi que son oeuvre n'était pas achevée et que l'humanité avait besoin qu'il soit vivant et libre.

D'ailleurs Paul n'avait jamais reculé devant les épreuves qu'il trouvait sur

son chemin et qu' il avait lui -même choisies. «C' est pour cet Evangile que j' ai été établi prédicateur, apôtre et docteur; et telle est la cause des maux que j'endure. Mais je n' en ai point honte; car je sais en qui j' ai cru et je suis persuadé qu' Il a la pouvoir de garder mon dépôt jusqu' au grand jour» (II Timothée 1, 11-12). La passion avec laquelle il menait son combat lui donnait du courage, mais aussi une immense satisfaction, si bien que n' importe quelle difficulté aurait pu être vaincue par le bonheur qu' il ressentait à être le servi-

25. Le temple dorique d' Apollon dans l' ancienne Corinthe, vers 540 avant J.-C.

teur de Dieu. Dès le jour de sa conversion, Paul avait réalisé que l' oeuvre qu' il entreprendrait ne serait pas sans embûches, ni tribulations. Il était néanmoins prêt à renoncer aux plaisirs de ce monde si c' était pour gagner la vie céleste.«Christ est ma vie et la mort m' est un gain. S' il vaut la peine pour moi de continuer à vivre dans la chair, et ce que je dois préférer, je ne saurais le dire. Je suis pressé des deux côtés, mon désir était de partir pour être avec Christ, ce qui est de beaucoup préférable; mais il est nécessaire pour vous que je demeure dans ce corps... pour que grandisse votre foi en Jésus-Christ à travers ma propre présence» (Philippiens 1, 21-26).

L'une des épreuves les plus importantes que Paul s'imposa était le laborieux effort de subvenir à ses besoins sans être à la charge de quiconque et sans recevoir la moindre rétribution pour sa prédication. Il préférait n'importe quelle privation plutôt que de donner à autrui le droit de l'accuser d'avoir des vues intéressées et des motivations mesquines. «Nous n'avons mangé gratuitement le pain de personne, mais nous avons travaillé nuit et jour, dans la fatigue et la peine, pour n'être à la charge à aucun de vous. Non pas que nous n'en eussions le droit, mais nous avons voulu nous donner à vous en exemple, afin que vous nous imitiez. Aussi bien, lorsque nous étions auprès de vous, nous vous le déclarions expressément: si quelqu'un ne veut pas travailler, il ne doit pas non plus manger» (II Thessaloniciens 3, 8-10). Pour comprendre l'attitude de Paul à ce sujet, il faut savoir que, de son temps, une foule de faux maîtres, phlilosophes et évangélistes parcouraient le pays en prêchant la rédemption dans le seul but d'en tirer un profit, avant tout matériel. Paul com-

battit vigoureusement tous ces «faux frères», mettant continuellement les chrétiens en garde contre le danger qu'ils couraient d'être trompés. «Eloignez-vous d'eux; car ces gens-là servent non le Christ notre Seigneur, mais leur ventre; et, par des paroles douces et flatteuses, ils sé-duisent les coeurs des simples» (Romains 16, 17-18). Bien entendu, ceux-là aussi réagissaient vivement aux exhortations de Paul et s'évertuaient très souvent à saper son oeuvre.

Par ailleurs, les prêches de Paul provoquaient fréquemment une réaction plus générale, non seulement chez les païens et les Juifs, mais aussi chez les chrétiens eux-mêmes. Plusieurs l'accusaient de fausser la substance du christianisme, point de vue que partagent jusqu'à nos jours certains chercheurs - peu nombreux toutefois. D'autres essayaient d'ébranler son autorité en répandant des insinuations au sujet des sommes qu'il collectait pour les Eglises. C'est pour cette raison qu'il veillait à être toujours accompagné de témoins lors du transport des collectes. Ses ennemis les plus fanatiques étaient certainement les Juifs, qui le considéraient comme un dangereux renégat. C'étaient eux les responsables des persécutions, des innombrables tentatives d'assassinat contre sa personne et, bien en-tendu, de son arrestations finale à Jérusalem. «Je vous exhorte donc, mes frères, par notre Seigneur Jésus-Christ et par l' amour que produit l' Esprit, à combattre avec moi dans les prières que vous adressez à Dieu en ma faveur, afin que je sois délivré des incrédules qui sont en Judée...» (Romains 15, 30-31).

Cependant aucun obstacle ne fut capable de freiner son enthousiasme, ni de décourager son combat. Ses efforts étaient stimulés par le soutien des chrétiens, qui l' entouraient de respect et d' amour. «Ils fondirent tous en larmes; et,

se jetant au cou de Paul, ils l' embrassèrent tous tendrement, affligés surtout de la parole qu' il avait dite: Vous ne verrez plus mon visage». Puis ils l' accompagnèrent jusqu' au navire» (Actes 20, 37-38).

27. Apôtres, détail d' un mosaïque du monastère de Daphni, vers 1100 après J.-C.

29. Détail d' un mosaïque du monastère de Daphni, vers 1100 après J.-C.

L' Apôtre
des Nations

Saint Paul réalisa quatre grands voyages dans quasiment tous les pays qui entourent le bassin méditerranéen et réussit, au cours de ses déplacements, à multiplier le nombre des chrétiens et à fonder les premières Eglises chrétiennes. Ses itinéraires furent organisés de manière méthodique et prirent très vite le caractère de missions apostoliques. Aux côtés de Paul, un grand nombre de chrétiens anonymes veillaient sans relâche à propager la vérité chrétienne. La plupart de ces prédicateurs inconnus, mais également les apôtres, avaient déjà préparé en commun leur action avant la conversion de Paul. Aussi celui-ci chercha-t-il à suivre les préceptes établis par les premiers chrétiens, lorsqu'il fut accueilli dans la communauté.

C' est ainsi qu' il s' efforça de choisir, pour y enseigner, des régions dans lesquelles le nom du Christ n' était pas encore connu. «Je me suis fait un honneur d' annoncer l' Evangile là où le nom de Christ n' avait pas encore été prononcé, afin de ne point bâtir sur le fondement posé par un autre, ainsi qu' il est écrit: «Ceux à qui il n' avait pas été annoncé le verront, et ceux qui n' avaient pas entendu parler de lui le connaîtront» (Romains 15, 20-21). Les premières Eglises furent fondées dans de grandes villes, très fréquentées, et devinrent très rapidement les centres d' où le message chrétien se propagea en province. Des liens étroits s' établirent entre elles, tandis que Paul lui-même, par ses visites, ses Epîtres et ses représentants, contrôlait leur fonctionnement et les tenait au courant de sa propre activité. Les Epîtres furent en grande partie écrites dans le but d' encourager leur combat, de proposer des solutions à leurs problèmes et de leur transmettre l' enseignement du Christ. Leur contenu nous donne une image claire de la passion et de l' amour avec lesquels Paul conseillait et guidait les membres des Eglises. «Je n' écris point cela pour vous faire honte; mais je vous avertis, comme mes enfants bien-aimés. Car eussiez-vous dix mille maîtres en Christ, cependant vous n' avez pas plusieurs pères; c' est par moi

qui vous ai engendrés en Jésus-Christ, par l'Evangile. Je vous en conjure donc, soyez mes imitateurs. C'est pour cela que je vous ai envoyé Timothée, qui est mon enfant bien-aimé, fidèle dans le Seigneur; il vous rappellera quelle est en Jésus-Christ ma ligne de conduite et de quelle manière j'enseigne partout dans les Eglises» (I Corinthiens 4, 14-17).

Les voyages et les efforts continus de Paul ne tardèrent pas à porter leurs fruits. Les communautés chrétiennes voyaient leur nombre s'accroître continuellement et comptaient toujours plus de membres. La propagation du christianisme parmi les «nations» (peuples idolâtres) dut son succès au dévouement des apôtres et notamment de Paul, mais aussi aux conditions politiques et sociales particulières prévalant à cette époque.

L'oeuvre apostolique des premiers chrétiens fut en grande partie facilitée par l'unité administrative de l'immense Empire romain. L'expansion des Romains en Orient et en Occident, qui mit en contact deux civilisations différentes, contribua à la propagation d'idées et de conceptions nouvelles. La «paix romaine» et la stabilité de la situation qui régnaient au Ier et au IIe s. apr. J.-C. donnèrent à l'empire un caractère cosmopolite et encouragèrent les relations entre les provinces. Afin, principalement, de contrôler les territoires conquis, les empereurs romains renforcèrent les communications routières et maritimes, facilitant ainsi la diffusion de nouvelles théories dans toutes les régions de la Méditerranée.

Dans le domaine de la religion, le terrain où allaient s'implanter les nouvelles croyances avait été cultivé par un esprit de syncrétisme, c'est-à-dire d'un mélange d'éléments religieux d'origines très diverses. Suivant la même tradition, l'Etat romain était particulièrement tolérant face à l'apparition et au mélange de différentes tendances religieuses. C'est dans ce contexte que le monde occidental entra en contact avec des cultes à mystères et avec des religions orientales, comme le mithriacisme et le judaïsme. Parallèlement, les anciens dieux grecs avaient commencé à présenter des symptômes de décadence et les fidèles préféraient rendre un culte aux «dieux inconnus» ou à tous les dieux en commun (panthéon). Cette décadence conduisit graduellement à la prédominance de conceptions monothéistes, d'ailleurs renforcées par la philosophie grecque de cette époque. La religion monothéiste des Juifs était déjà connue des Grecs depuis le IIIe s. av. J.-C., quand l'Ancien Testament fut traduit en grec. A l'époque hellénistique, le judaïsme se propagea encore davantage grâce à l'action des Juifs de la diaspora. Les suc-cesseurs d'Alexandre le Grand, qui fondèrent les états hellénistiques d'Orient, autorisèrent les Juifs à se rassembler en communautés indépendantes, à condition qu'ils utilisent la langue grecque. C'est précisément à cette époque que les Grecs subirent les influences de la religion judaïque, tout en influant eux-mêmes sur le judaïsme par le biais de leur civilisation. L'accoutumance progressive à l'idée d'un dieu unique fut d'une importance décisive pour la compréhenson de la prédication chrétienne par les païens.

L'utilisation d'une langue commune par tous les habitants de l'Etat romain fut tout aussi importante pour la propagation du christianisme. Cette langue n'était autre que le grec, qui avait commencé à prévaloir dès l'époque des conquêtes d'Alexandre. Utilisé non seulement dans les régions ayant appartenu plus tôt à des royaumes hellénistiques, il fut enseigné également en Occident, parallèlement au latin, puisque les Romains étaient initiés à la philosophie et à la pensée helléniques. Aussi devint-il très rapidement une langue commune, internationale, que l'on pouvait étudier dans les nombreuses écoles grecques de l'Empire romain. C'est pour cette raison que son excellente connaissance du grec fut pour Paul un instrument capital, d'une extrême importance pour la réussite de son oeuvre. Par ailleurs le grec, langue de la philosophie et de la rhétorique, offrait la possibilité d'extérioriser, de manière remarquable, des notions et des idées profondes, comme celles du christianisme.

Bien qu'admirateur de la langue et de l'esprit des Grecs, Paul fut néanmoins un adversaire de leur religion. «...parce que, tout en connaissant Dieu, ils ne lui ont pas donné la gloire qui lui appartient et ils ne lui ont pas rendu grâces, mais ils se sont égarés dans leurs vains raisonne-

ments; et leur coeur sans intelligence a été rempli de ténèbres. Se disant sages, ils sont devenus fous; ils ont remplacé la gloire du Dieu incorruptible par des images qui représentent l'homme voué à la corruption ou encore des oiseaux, des quadrupèdes, des reptiles... Ils ont changé la vérité de Dieu en mensonge, et ont adoré et servi la créature au lieu du Créateur, lequel est béni éternellement» (Romains 1, 21-25). La manière dont les Grecs considéraient le monde était pour Paul imparfaite, puisqu'elle ne leur permettait pas de saisir son essence suprême, le concept du dieu unique, créateur de toute chose. Leur incapacité à comprendre la signification de l'incarnation et de la résurrection du Christ prouvait l'infériorité de leur philosophie par rapport à la sagesse de Dieu. Le seul moyen de parfaire la pensée grecque était de la réviser à travers l'enseignement du christianisme.

En aucun cas, saint Paul n'exclut les «nationaux» (c'est-à-dire les païens ou gentils) de ses prédications. Tout au contraire, il visita en premier les villes grecques, sachant par ailleurs que les Grecs accueillaient toujours avec intérêt les nouvelles théories. Il semble que Paul et Barnabé aient été les premiers à imaginer un plan pour convertir les païens par la méthode de l'apostolat. C'est pour cette raison qu'ils voyagèrent dans des régions où prédominait la religion grecque antique et qu'ils prêchèrent le christianisme aux «gentils», exactement comme ils l'avaient fait pour les Juifs. «Il n'y a pas de distinction entre le Juif et le Grec, parce qu'ils ont tous le même Seigneur, riche pour tous ceux qui l'invoquent» (Romains 10, 12).

Ce point de vue était incompatible avec la doctrine des pharisiens, selon laquelle l'homme ne peut se justifier devant Dieu que s'il observe la Loi à la lettre. En transférant leur justification de la Loi en la personne de Jésus-Christ, les chrétiens pouvaient accueillir dans leur communauté jusqu'à ceux qui n' observaient pas ou ne connaissaint même pas la Loi. Un autre problème qui se posa en ce qui concernait les anciens païens convertis au christianisme était celui de la circoncision, qui fut longuement discuté et résolu lors du Synode apostolique de Jérusalem, en 49 apr. J.-C. Selon la décision des apôtres, aucun des païens qui avaient embrassé le christianisme n'était obligé d'être circoncis et de suivre la loi mosaïque. Paul, qui avait également pris part au synode, approuva cette décision et ne cessa jamais de la proclamer aussi bien auprès des païens que des Juifs. «Au reste, que chacun agisse conformément à la condition que le Seigneur lui a donnée en partage et dans laquelle Dieu l'a appelé... Quelqu'un a-t-il été appelé, étant circoncis? Qu'il demeure circoncis. Quelqu'un a-t-il été appelé, étant incirconcis? Qu'il ne se fasse pas circoncire. La circoncision n'est rien, et l'incirconcision n'est rien: ce qui importe, c'est l'observation des commandements de Dieu» (I Corinthiens 7, 17-19).

La liberté donnée par le Synode apos-

tolique en ce qui concernait la Loi et la circoncision ouvrit la voie à l'évangélisation d'un nombre croissant de païens. Paul traitait en égaux tous les chrétiens, quelle que fût leur provenance, de même qu'il considérait essentiel pour le salut des Juifs l'exemple des païens qui s'étaient éveillés à la parole du Christ. «Je ne veux pas, frères, que vous ignoriez ce mystère, de peur que vous ne présumiez trop de votre sagesse: c'est qu'une partie d'Israël est tombée dans l'endurcissement, jusqu'à ce que toute la multitude des païens soit entrée dans l'Eglise; et ainsi, tout Israël sera sauvé... Et, de même que vous avez été autrefois rebelles à Dieu, et que maintenant vous avez obtenu miséricorde par suite de leur rébellion, de même ils ont maintenant désobéi, afin que, à cause de la miséricorde qui vous a été faite, eux aussi obtiennent maintenant miséricorde» (Romains 11, 25-30). Dans l'Epître «aux Ephésiens», il analyse longuement la manière dont Dieu a accordé sa grâce à l'humanité entière, sans faire de distinction entre les Juifs et les païens. Au contraire, en sacrifiant son fils, il a offert à tous la réconciliation et la rédemption. «Mais maintenant, en Jésus-Christ, vous qui étiez autrefois éloignés, vous avez été rapprochés par le sang du Christ. Car c'est lui qui est notre paix, lui qui des deux peuples en a fait un seul, ayant détruit le mur de séparation, l'inimitié qui les divisait... pour, après les avoir réunis en un seul corps, les réconcilier l'un et l'autre avec Dieu, par sa croix, ayant fait mourir par

elle leur inimitié» (Ephésiens 2, 13-16).

Cependant, pour Paul, il existait toujours une différence entre les deux peuples. Les Juifs tenaient la première place dans le christianisme, puisque c'était parmi eux qu'était né le Messie et que c'était à eux qu'il avait transmis pour la première fois son enseignement. «J'ai une grande tristesse et un continuel tourment dans le coeur. Car je souhaiterais d'être moi-même anathème, séparé de Christ, pour mes frères, mes parents selon la chair, qui sont Israélites, à qui appartiennent l'adoption, la gloire, les alliances, la loi, le culte, les promesses; qui descendent des patriarches et desquels est issu, selon la chair, le Christ qui est au-dessus de tous, Dieu béni éternel-lement. Amen!» (Romains 9, 2-5). Bien entendu, la priorité des Juifs n'empê-chait pas la communauté du Christ d'ac-cueillir dans son sein de nouveaux membres, indépendamment de toute origine, et, parallèlement, de rejeter ceux qui se révélaient infidèles, qu'ils fussent grecs ou juifs. Grâce à ces conceptions, Paul réussit à propager le christianisme du monde judaïque au monde grec et à en faire une religion de tous les peuples. «C'est ainsi qu'il dit dans Osée: «J'appel-lerai mon peuple celui qui n'était pas mon peuple» (Romains 9, 25).

33. Le Parthénon sur l'Acropole d'Athènes.
Devant: l'Odéon d'Hérode Atticus,
IIe s. après J.-C.

LA PREMIÈRE MISSION
CHYPRE

S elon les «Actes des apôtres», les missions apostoliques de Paul furent décidées par intervention divine, exactement comme l'avait été sa conversion au christianisme. «Pendant que certains membres de l'Eglise d'Antioche célébraient le culte du Seigneur et jeûnaient, le Saint-Esprit leur dit: «Mettez à part Barnabé et Saul, pour l'oeuvre à laquelle je les appelés». Alors, après avoir jeûné et prié, ils leur imposèrent les mains et les laissèrent partir» (Actes 13, 2-3). La première mission comprenait Chypre, Perge en Pamphylie, Antioche de Pisidie et les villes lycaoniennes d'Iconium, de Lystre et de Derbe. Paul avait pour compagnon et principal organisateur de ce voyage Barnabé, helléniste juif, originaire de Chypre, qui s'était très tôt converti au christianisme. Infatigable pilier de l'Eglise d'Antioche, nouvellement fondée, c'est lui qui avait servi d'intermédiaire pour la première rencontre entre Paul et les

apôtres à Jérusalem. A la fin de ce voyage, il se sépara de Paul et suivit son propre chemin. Il visita une deuxième fois Chypre, où il mourut, beaucoup plus tard, lapidé.

Il semble que les deux apôtres aient entrepris leur voyage en 47 apr. J.-C. et l'aient achevé deux ans plus tard. Après être passés par Séleucie de Syrie, ils firent voile vers Chypre et débarquèrent à Salamine, l'un des plus grands ports de l'île. Après y avoir prêché dans les synagogues des Juifs, ils visitèrent plusieurs autres villes avant d'arriver à Paphos, où Paul convertit au christianisme le proconsul Sergius Paulus et accomplit son premier miracle en aveuglant Ely-

mas Bar-Jésus, le magicien infidèle qui avait essayé de s'opposer à son prêche. Bien qu'aucune Eglise chrétienne ne fût fondée à Chypre, il semble cependant que l'enseignement y eut quelque retentissement, du moins à Paphos, puisque le proconsul romain lui-même s'y intéressa.

Chypre, l'une des plus belles îles de la Méditerranée, est marquée par une longue histoire mouvementée. Les premières traces d'habitation remontent à l'époque néolithique (6000-3000 av. J.-C.), dont date la civilisation dite de Khirokhitia. Les premiers Grecs qui s'établirent à Chypre, entre le XIVe et le XIIe s. av. J.-C., furent les Mycéniens. Si leur installation fut pacifique, leur influence fut par contre si profonde que, très rapidement, l'île entière fut

hellénisée et perpétua pendant des siècles la tradition mycénienne. Les mythes grecs nous donnent de nombreux renseignements sur la colonisation des deux villes que saint Paul visita plus tard. Ainsi, selon les épopées homériques, la cité chypriote de Salamine fut fondée par Teucros, fils de Télamon, roi de l'île grecque de Salamine. La colonisation de Salamine et de Paphos eut lieu juste après la fin de la guerre de Troie, lorsqu'une tempête fit s'échouer sur la côte de Paphos Agapénoras, chef de la flotte arcadienne. Celui-ci chassa le roi Cinyras et devint maître de la ville. C'est à Paphos, selon la légende, que serait née Aphrodite, déesse de la beauté.

En raison de sa position stratégique et de ses mines de cuivre, Chypre éveillait la

convoitise expansionniste de ses voisins. Ainsi, aux temps historiques, elle fut conquise successivement par les Assyriens, les Egyptiens, les Phéniciens et les Perses. Au Ve s. av. J.-C., elle fut libérée grâce à l'aide des Athéniens et des Spartiates et, jusqu'à la fin du IVe s. av. J.-C., elle connut une période de prospérité sous le règne d'Euagoras, roi de Salamine, et de ses successeurs. Les Perses ne cessèrent évidemment jamais de créer des ennuis à Chypre jusqu'à ce qu'Alexandre le Grand neutralisât le danger. En remerciement, les Chypriotes lui offrirent leur île, qui, après sa mort, en 323 av. J.-C., revint aux Ptolémées d'Egypte. A partir de 58 av. J.-C., elle fut occupée successivement par les Romains, les Sarrasins, les Byzantins, les Francs, les Vénitiens, les Turcs et les Anglais. Chypre acquit son indépendance en 1960, mais, depuis l'invasion turque, en juillet 1974, 40% approximativement de son sol est actuellement occupé par les Turcs.

Outre ses beautés naturelles, le visiteur se rendant de nos jours à Chypre peut y admirer les vestiges des constructions érigées par les peuples qui foulèrent son sol. Aujourd'hui encore, chacune de ses villes conserve des traces de sa propre histoire.

35. *Chypre, Kourion, vue du sanctuaire d'Apollon*

36. *Chypre, Paphos, des constructions médiévals*

37. *Chypre, Kourion, le temple d'Apollon*

Paphos, tout particulièrement, peut s'enor-gueillir de son cadre très pittoresque et de ses nombreux monuments du passé. Des vestiges de la ville antique, ainsi que du fa-meux temple d'Aphrodite, ont été mis au jour dans le village de Kouklia, tandis que 9km plus loin, au lieu-dit «Pétra tou Ro-miou», on peut voir l'endroit où la déesse de la beauté et de l'amour aurait surgi de l'écume de la mer. A 15 km au N.O. de la Paphos antique se trouve la Nouvelle Pa-phos, qui constituait l'extension de la ville antique et fut, à l'époque romaine, le siège des gouverneurs romains de l'île. Les ar-chéologues y ont découvert de nombreuses constructions préhistoriques, ainsi qu'une superbe villa du IIIe s. av. J.-C., aux pave-ments de mosaïque: la fameuse «maison du Dionysos».

C'est dans cette ville, envahie par les souvenirs de l'antiquité hellénique, que Paul et Barnabé réussirent à transmettre ce nouveau message de salut qu'apportait le christianisme. Quelques vestiges de Sala-mine, la deuxième ville qu'ils visitèrent, subsistent également dans les territoires oc-cupés par les Turcs.

39. (en bas) Chypre, forteresse médiévale dans le port de Paphos

DE PAPHOS À ANTIOCHE - JÉRUSALEM

Après avoir quitté Paphos, les deux apôtres passèrent par Perge en Pam-phylie et continuèrent leur voyage jusqu'à Antioche de Pisidie, où Paul prêcha l'Evan-gile deux fois, tant aux Juifs qu'aux païens. Il semble qu'il ait réussi à convaincre plu-sieurs de ses auditeurs, mais plus ses prédi-

38-39 Chypre, l'
église de
Chrysopolitissa
(Sainte-Kyriaki),
XVe s. après J.-C.

cations touchaient le public et plus elles excitaient la colère des Juifs, qui le chassèrent de la région. Il en fut de même dans la ville suivante, Iconium, où les habitants se divisèrent en deux clans, l'un pour et l'autre contre Paul et Barnabé. Chassés une fois de plus, ceux-ci se rendirent à Lystre, où les païens, en les écoutant parler et en assistant à des miracles, crurent que c'étaient leurs dieux qui avaient pris une forme humaine pour venir les voir. Ainsi, appelant Barnabé, Zeus et Paul, Hermès, ils voulurent leur offrir des sacrifices. Cette fois-ci, la réaction des Juifs fut totalement différente: ils n'hésitèrent pas à lapider Paul, qui perdit connaissance. Croyant qu'il était mort, ils s'apprêtaient à l'enterrer, lorsque celui-ci se releva, sain et sauf, et partit avec son compagnon pour Derbe. Leur voyage achevé, ils reprirent la route

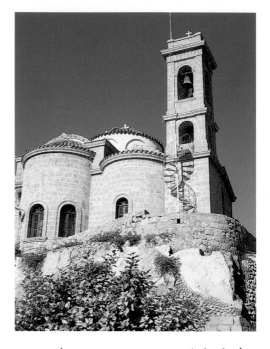

en sens inverse pour retourner à Antioche. Les épreuves subies par Paul en Asie Mineure semblent avoir eu une influence décisive sur son oeuvre et renforcé encore davantage sa foi. Sa joie, bien entendu, était grande, car il voyait pour la première fois les païens accepter sa prédication. C'est précisément cet intérêt des païens qui incita Paul à soulever la question de la circoncision et de l'obéissance à la loi mosaïque. C'est ainsi qu'un synode apostolique fut tenu à Jérusalem en 49 apr. J.-C. Paul et Barnabé y participaient et c'est même eux qui transportèrent à Antioche la lettre contenant les décisions des apôtres. Selon

40. (en bas) Chypre, Kourion, le théâtre tel qu'il a été reconstruit à l'époque romaine

41. Chypre, église médiévale au mont Troodos

celles-ci, ni l'observance de la Loi, ni la circoncision n'étaient indispensables au salut d'un chrétien. Tout au long de sa vie, Paul resta fidèle aux principes du Synode et n'hésita pas à chapitrer saint Pierre lui-même, lorsqu'il constata chez celui-ci un certain fléchissement.

Après le Synode apostolique, Barnabé et Paul prêchèrent l'Evangile à Antioche et projetèrent ensuite de visiter à nouveau les villes d'Asie Mineure. Mais ce voyage ne devait jamais se réaliser en commun, car, à la suite d'une vive discussion, les deux apôtres décidèrent de se séparer.

42-43. (en haut) Chypre, «Pétra tou Romiou», l'endroit où, selon la tradition, Aphrodite a surgi de l'écume de la mer

42-43. (en bas) Chypre, Larnaca, une lagune à la route de Salamis à Paphos

DEUXIÈME MISSION LA VISION DE TROIE

Pendant qu'il se trouvait à Antioche, Paul avait fait la connaissance de Silas de Jérusalem, qui l'accompagna dans son deuxième voyage. Après avoir parcouru la Syrie et la Cilicie, ils se rendirent dans les villes de Derbe et de Lystre, en Lycaonie. A Lystre, vivait «un disciple, nommé Timothée, fils d'une Juive croyante et d'un père grec. Les frères de Lystre et d'Iconium lui rendaient un bon témoignage. Paul voulut l'emmener avec lui...» (Actes 16, 1-3). Timothée fut par la suite un proche collaborateur et un compagnon de voyage de Paul. Il fut incarcéré avec lui à Rome et le suivit plus tard jusque dans son quatrième voyage, au cours duquel il s'installa à Ephèse, où il fut sacré évêque. Deux des Epîtres de Paul furent adressées à Timothée pour l'encourager dans son oeuvre.

Après avoir quitté Lystre, Paul, Silas et Timothée prêchèrent l'Evangile avec succès dans des villes de Phrygie, de Galatie et de Mysie, puis se dirigèrent vers la Troade. Ilion, l'ancien royaume de Priam, rendu à tout jamais célèbre par les événements de la guerre de Troie, allait bientôt lier son sort -et celui de la Grèce entière- au christianisme. Selon les «Actes des apôtres», c'est le Saint-Esprit qui conduisit les trois apôtres en Troade, les empêchant de se rendre en Bithynie et dans d'autres régions d'Asie. C'est ainsi qu'en 49 apr. J.-C., ils arrivèrent dans la région de Troie, occupée par les Romains depuis 189 av. J.-C.

C'est à cet endroit, à la croisée des routes pour la Grèce et l'Orient que la mission apostolique de Paul dans les villes grecques fut décidée par Dieu. «Pendant la nuit, Paul eut une vision: un Macédonien se tenait devant lui et le suppliait, en disant: «Passe en Macédoine et viens nous secourir» (Actes 16, 9). La vision de Troie, de même que celle de Damas, fut décisive pour la propagation du christianisme. Sans perdre de temps, Paul se prépara pour se rendre en Grèce, sachant que l'heure était

venue de transmettre le message du Christ dans le berceau de l'ancienne religion grecque.

Juste après la description de la vision, le récit des «Actes des apôtres» passe de la troisième personne du singulier à la première personne du pluriel, ce qui indique qu'à partir de ce moment l'auteur de ce texte était également présent. Il semble donc que saint Luc ait rencontré les trois apôtres en Troade et les ait ensuite suivis. Certains chercheurs ont émis l'hypothèse que la vision de Troie était une allusion indirecte à la présence de Luc, qui aurait très probablement connu Paul dans sa ville natale, Antioche. Luc connaissait la civilisation grecque, parlait le grec et semblerait avoir exercé la profession de médecin. «Luc, le médecin bien-aimé, vous salue» (Colossiens 4, 14). Il accompagna Paul dans ses deuxième et troisième voyages et resta à ses côtés non seulement lors de sa première incarcération à Rome, mais aussi lors de la seconde, quand ses autres disciples l'avaient abandonné. «Démas m'a abandonné... Crescens est allé en Galatie, et Tite en Dalmatie. Luc seul est avec moi» (II Timothée 4, 10-11). La tradition rapporte que Luc prêcha l'Evangile en Gaule, en Dalmatie, en Italie et en Grèce et qu'il mourut, âgé de plus de quatre-vingts ans, quelque part près de Thèbes.

45. *Le Cheval de Troie, décor d'un amphore à reliefs au Musée de Myconos, VIII – VIIe s. avant J.-C.*

46-47. *Le monastère d'Ossios Loukas, 1011 après J.-C.*

L'ARRIVÉE EN GRÈCE - SAMOTHRACE - KAVALA

«Etant donc partis de Troas, nous naviguâmes droit sur Samothrace et, le lendemain, sur Néapolis» (Actes 16, 11).

C e sont les seuls renseignements que nous possédions sur les deux premières villes grecques où Paul s'arrêta pour prêcher. Il n'existe aucun autre témoignage ni sur le voyage depuis l'Asie, ni sur la prédication et le retentissement qu'elle eut auprès des habitants. Ce qui est toutefois certain, c'est que, pour la première fois, le nom du Christ était entendu en Occident et sur le sol européen.

Samothrace est une île extrêmement montagneuse, située à proximité des côtes thraces. Le plus haut sommet du mont Saos, le Fengari (1800m), est toujours enneigé et constitue, abstraction faite du mont Athos, tout proche, le relief le plus élevé de toute la région avoisinante. En raison de cette morphologie, l'île est pour ainsi dire dépourvue de côtes accueillantes et de ports. Dans l'antiquité, le seul port était Dimitrio, identifié aujourd'hui avec la baie de Kamariotissa. C'est là que dut jeter l'ancre le bateau qui transportait Paul et ses compagnons venant de Troade.

La plus ancienne agglomération de Samothrace, mise au jour à Mikro Vouni, sur la côte S.O., se développa à l'époque néolithique, vers la fin du Ve millénaire av. J.-C., et fut vraisemblablement construite par les Pélasges, qui, selon Hérodote, auraient été les premiers habitants de l'île. Une deuxième agglomération fut fondée à l'âge du bronze sur l'acropole de Vrihos, à l'O. de Hora, par des tribus thraces. Les premiers Grecs qui colonisèrent Samothrace étaient des Eoliens venus d'Asie Mineure ou de Lesbos. Selon la légende, le premier colonisateur et également législateur aurait été Saon, fils de Zeus ou d'Hermès. C'est à lui qu'est due la fondation de la ville de Samothrace, qui, aux VIIe et VIe s. av. J.-C., jouissait d'un important essor économique, battait des monnaies d'argent et possédait une petite flotte de guerre. En 513 av. J.-C., elle fut conquise par les Perses, tandis que, de 477 av. J.-C. à l'époque de Philippe II de Macédoine, elle connut l'hégemonie d'Athènes et de Sparte. A l'époque hellénistique, elle tomba sucessivement sous la domination des souverains de Macédoine, du roi de Thrace Lysimaque, des Ptolémées d'Egypte et des Séleucides de Syrie. Finalement, les Romains s'en emparèrent en 168 av. J.-C. Aux temps historiques, et notamment durant l'époque hellénistique, Samothrace était un centre religieux panhellénique, largement renommé grâce au culte à mystères rendu aux Grands Dieux. Les dieux de Samothrace, appelés Cabires, avaient une origine préhellénique. Les Grecs les identifièrent avec leurs propres dieux Déméter, Perséphone, Hadès et Hermès, divinités reliées à la mort et à l'au-delà. La déesse mère Axiéros présentait de nombreuses ressemblances avec Déméter, figure principale des Mystères d'Eleusis, célébrés dans le sud de la Grèce. Les fêtes, qui avaient lieu dans le sanctuaire des Grands

Dieux, comprenaient des cérémonies d'initiation préparant les fidèles à la vie dans l'au-delà et leur octroyant la protection des Cabires contre les dangers maritimes. Philippe II fut initié très jeune aux Mystères des Cabires, de même que son épouse Olympia, mère d'Alexandre le Grand. Les ruines du sanctuaire des Grands Dieux ont été découvertes dans le nord de l'île, à proximité de la ville antique de Samothrace. Parmi les constructions mises au jour, on remarque notamment l'Anactorion, qui servait de Télestérion (salle d'initiation) lors de la phase finale des Mystères, et l'Arsinoéion, élevé peu avant 270 av. J-C. par Arsinoé, épouse de Lysimaque, qui est le plus grand édifice circulaire connu de l'antiquité

grecque. Le site archéologique comprend aujourd'hui un musée qui abrite des antiquités provenant du sanctuaire et d'autres sites archéologiques. Parmi les objets exposés, on peut voir une copie de la fameuse Victoire de Samothrace, dont l'original se trouve au musée du Louvre. Cette statue, qui représente une victoire ailée, fut découverte en 1863, au cours des fouilles menées dans l'île par Charles-François Champoiseau, consul de France, qui la fit transporter en France.

48. Samothrace, le sanctuaire des Grands Dieux, IVe s. avant J.-C.

50. Samothrace, l'édifice circulaire (tholos) d'Arsinoé, IIIe s. avant J.-C.

51. Samothrace, le sanctuaire des Grands Dieux, IVe s. avant J.-C.

A l'époque byzantine, Samothrace fit partie du thème de Thrace jusqu'à sa prise par les Croisés, en 1204. Du IXe au XIVe s., les habitants se retirèrent progressivement à l'intérieur de l'île et y construisirent, loin de la mer, la localité de Hora, l'actuel chef-lieu. En 1462, les Turcs s'emparèrent de l'île, qu'ils dévastèrent complètement au cours de la guerre d'Indépendance (1821), massacrant toute la population mâle et vendant femmes et enfants comme esclaves. Après de longues luttes, Samothrace fut finalement rattachée à la Grèce en 1912. Aujourd'hui, cette île à la beauté sauvage, très boisée et arrosée de nombreux cours d'eau, offre un refuge idéal aux amoureux de la nature.

Néapolis, que Paul visita immédiatement après Samothrace, est connue au-

jourd'hui sous le nom de Kavala. L'ancienne Néapolis fut colonisée par les Athéniens vers le Ve s. av. J.-C. et resta leur alliée jusqu'à sa conquête par Philippe II, au milieu du IVe s. av. J.-C. Elle constitua dès lors le port de la ville voisine de Philippes et connut un grand essor commercial jusqu'à la dissolution de l'Etat macédonien. La visite de Paul eut pour résultat l'arrivée de nombreux colons venant de Jérusalem et un nouveau regain des activités commerciales. A l'époque byzantine, les habitants donnèrent à leur ville le nom de Christoupolis (ville du Christ), vraisemblablement parce que, grâce à Paul, le christianisme s'y était propagé très tôt. Par ailleurs, selon l'avis de certains chercheurs, c'est à la même période qu'aurait été construite une église byzantine

consacrée à St Paul, qui fut plus tard transformée en mosquée. Les Turcs s'emparèrent de la ville en 1380 et confinèrent sa population à l'intérieur de la forteresse byzantine. Ce n'est qu'au XIXe s. qu'elle fut autorisée à s'étendre hors des murailles, événement qui fut accompagné d'une nouvelle période de prospérité. Pendant les guerres balkaniques, Kavala tomba aux mains des Bulgares et fut définitivement libérée en 1913.

De nos jours, Kavala est une ville moderne et un port important, qui a cependant conservé en grande partie son ancienne physionomie. On y trouve encore, à côté des grandes places et des hauts bâtiments modernes, de petites maisons basses à l'architecture traditionnelle, avec jardinets, entre lesquelles se faufilent des ruelles pavées. Une forteresse byzantine qui surplombe la ville, construite en amphithéâtre, domine de haut le port, principal centre d'exportation de tabac de la Grèce du Nord, puisque c'est à Kavala que fonctionnèrent les premières manufactures de tabac. Les principales curiosités de la ville sont le vieil aqueduc (Camarès), ouvrage dû à Soliman le Magnifique (XVIe s.), la maison natale de Méhémet Ali, pacha d'Egypte (1805-1848), le musée archéologique, de nombreuses églises byzantines et l'église moderne érigée en 1928 pour commémorer la visite de l'apôtre Paul.

52. Kavala, le vieil aqueduc, oeuvre de Soliman le Magnifique (XVIe s. après J.-C.), qui sépare la vieille et la nouvelle ville

53. Kavala, vue de la ville avec le vieil aqueduc et un chantier naval traditionel dans le port

PHILIPPES

«De là, nous allâmes à Philippes, ville principale de la province de Macédoine, et colonie romaine» (Actes 16, 12).

Pour se rendre de Néapolis à Philippes, Paul dut certainement suivre la Via Egnatia, qui partait d'Apollonia, sur la mer Adriatique, et aboutissait sur les rives du fleuve Evros (Maritza ou Hébros dans l'antiquité), au bord de la mer Egée, en desservant les villes les plus importantes de l'époque. Elle constituait en fait un prolongement de la route qui reliait Rome à la ville d'Egnatia, en Apulie, et, à l'époque byzantine, arrivait jusqu'à Constantinople. Le tronçon central de la Via Egnatia, construit au IIe s. av. J.-C., traversait la ville de Philippes, conduisant vers le S.E. à Néapolis et vers le S.O. à Amphipolis.

Le site de Philippes se trouve à environ 17 km au N.O. de Kavala, entre les monts Pangée et Orvilos. La ville antique, fondée par des colons de l'île de Thassos en 360/359 av. J.-C., s'appelait à l'origine Krénides. Les Thassiens, qui avaient déployé jusque là une forte activité colonisatrice le long des côtes de la Thrace, préférèrent implanter cette nouvelle colonie dans l'arrière-pays. L'emplacement choisi avait en effet l'avantage d'être situé à proximité des mines d'or et d'argent du Pangée et de l'Orvilos, dans une riche région agricole et forestière, et de constituer un point névralgique pour le contrôle des routes de l'intérieur du pays. Quatre ans après la fondation de Krénides, les Thassiens durent demander l'intervention de Philippe II pour faire face aux tribus thraces des environs. Philippe II saisit l'occasion pour devenir maître de la ville, à laquelle il donna le nom de Philippes. Les Romains s'emparèrent de celle-ci en 168 av. J.-C., tandis qu'en 42 av. J.-C., Cassius et Brutus y livrèrent une bataille contre Octave et Antoine. La victoire de ces derniers eut pour résultat l'installation de nouveaux colons, agriculteurs et prétoriens, ainsi que la création d'une colonie importante, qui prit le nom de Colonia Augusta Julia Philippiensis. C'est ainsi que, lorsque Paul visita Philippes en 49 apr. J.-C., il trouva une ville déve-

loppée, à caractère essentiellement romain. Les ruines de Philippes témoignent, de nos jours encore, de la prospérité de la ville romaine. Toutes les constructions sont entourées d'un puissant rempart, élevé sous le règne de Philippe et remanié à l'époque byzantine. La Via Egnatia, qui traversait la ville fortifiée, aboutissait à deux des trois portes du rempart. Paul dut vraisemblablement franchir la porte orientale, dite porte de Néapolis, et suivre la Via Egnatia, dont on distingue, aujourd'hui encore, des fragments du pavement. De part et d'autre de l'artère se dressaient les bâtiments les plus importants de la ville. Au nord, se trouvaient le théâtre construit sous le règne de Philippe II, un sanctuaire des divinités égyptiennes du IIe

s. apr. J.-C. et de plus petits sanctuaires à ciel ouvert. Sur le côté sud, on a mis au jour les vestiges d'un forum du IIe s. apr. J.-C., dont il subsiste des ateliers, des magasins, des bâtiments administratifs, la «tribune aux harangues», des fontaines et des portiques, une bibliothèque et deux petits temples consacrés à l'empereur Antonin le Pieux et à son épouse Faustina. Plus au sud, il y avait un deuxième forum, une palestre du IIe s. apr. J.-C. et des bains romains. Bien entendu la plupart des constructions mises au jour datent du IIe s. apr. J.-C. et ne peuvent nous donner une image exacte de la ville telle qu'elle était à l'époque de saint Paul.

Paul resta à Philippes plusieurs jours et chercha dès le début à entrer en contact

avec les Juifs qui y vivaient. Ils ne devaient toutefois pas être très nombreux, car nulle part il n'est fait mention de l'existence d'une synagogue. Pour les rencontrer, Paul dut même sortir de la ville et aller près de la rivière où ils se réunissaient pour prier. C'est à cet endroit qu'eut lieu le premier baptême sur le sol européen, celui de Lydie, marchande d'étoffes de Thyatire, en Asie Mineure. «Nous étant assis, nous parlions aux femmes qui s'y trouvaient réunies. L'une d'elles, nommée Lydie, de la ville de Thyatire, marchande de pourpre, qui craignait Dieu, nous écouta; et le Seigneur lui ouvrit le coeur pour qu'elle fût attentive à ce que Paul disait. Quand elle eut été baptisée avec sa famille, elle nous adressa cette demande: «Si vous m'avez ju-

gée fidèle au Seigneur, entrez dans ma maison, et demeurez-y»; et elle nous y obligea» (Actes 16, 13-15). Près du site archéologique coule un petit cours d'eau, «le petit Jourdain», où fut vraisemblablement baptisée Lydie. Pour commémorer cet événement, une petite église a été érigée à cet endroit, appelé aujourd'hui Lydia.

L'hospitalité offerte par Lydie à Paul et à ses compagnons est significative de l'amour et de la solidarité qui unissaient les premiers chrétiens. De tels liens d'amitié étaient tout naturels dans une commu-

55. Philippes, la basilique B, vers 540 après J.-C.
56. Philippes, vue de la via Egnatia
57. Philippes, vue de l'Agora romaine

nauté peu nombreuse, souffrant d'une attitude hostile et de persécutions, tant de la part des Juifs que de celle de l'Etat lui-même. Paul exhortait toujours les Eglises à puiser le courage et la force pour leurs luttes dans l'entente et la fraternité entre chrétiens. «Quant à l'amour fraternel, vous n'avez pas besoin qu'on vous écrive à ce sujet, car vous avez vous-mêmes appris de Dieu à vous aimer les uns les autres; et cet amour, vous le témoignez à l'égard de tous les frères, dans toute la Macédoine. Mais nous vous prions, frères, de le témoigner toujours plus et de mettre votre honneur à vivre paisiblement...» (I Thessaloniciens 4, 9-11). Pour Paul, un des actes d'amour était l'hospitalité. «Que l'amour fraternel règne parmi vous. N'oubliez pas l'hospitalité; c'est en la pratiquant que quelques-uns ont reçu chez eux des anges sans le savoir» (Hébreux 13, 1-2). A l'E. du site arché-ologique de Philippes, on a découvert récemment deux groupes de maisons particulières datant de l'époque romaine au Xe s. apr. J.-C. C'est peut-être dans cette région que se trouvait la maison de Lydie, où Paul fut hébergé, quoique la tradition la situe près de la rivière où eut lieu le baptême.

Le séjour de Paul à Philippes ne fut pas toujours sans désagréments. Les habitants de la ville le pourchassèrent, le maltraitèrent et l'emprisonnèrent. «Un soir que nous allions à la prière, une servante qui avait un esprit de Python (=de devineresse), et qui, en prédisant l'avenir, procurait un grand profit à ses maîtres, nous rencontra. Elle se mit à nous suivre,

Paul et nous, en criant: «Ces hommes - là sont des serviteurs du Dieu Très-Haut; ils vous annoncent la voie du salut». Elle fit ainsi pendant plusieurs jours; à la fin Paul, importuné, se retourna et dit à l'esprit dont elle était possédée: «Je te commande, au nom de Jésus-Christ, de sortir de cette femme». Et l'esprit sortit à l'heure même. Cependant les maîtres de cette servante, voyant disparaître l'espoir de leur gain, se saisirent de Paul et de Silas, les traînèrent sur la place publique devant les magistrats, et, les ayant amenés aux préteurs, ils dirent: «Voici des hommes qui troublent notre ville. Ce sont des Juifs; et ils enseignent des coutumes qu'il ne nous est permis ni d'accepter ni de suivre, nous qui sommes Romains». La foule se souleva aussi contre eux, et les préteurs, les ayant fait dépouiller de leurs vêtements, donnèrent l'ordre de les battre de verges. Après qu'on les eut frappés un grand nombre de fois, les préteurs les firent jeter en prison, en recommandant au geôlier de les tenir sous bonne garde. Avant reçu cet ordre, il les mit au fond de la prison, et leur serra les pieds dans des entraves» (Actes 16, 16-24).

L'incident avec la servante aux facultés divinatoires pourrait être interprété comme une victoire du christianisme sur le paganisme. La jeune devineresse devait son pouvoir à l'esprit de Python qui la

59. (en haut) Philippes, vue de l'Agora romaine, où Paul et Silas ont été battus de verges
59. (en bas) Philippes, vue du site archéologique

possédait. Le serpent-Python était étroitement relié à l'oracle de Delphes, célèbre dans tout le monde antique grâce aux prophéties du dieu Apollon, proférées par la bouche de la Pythie. Avant cependant que ne domine la puissance d'Apollon, l'oracle de Delphes se trouvait entre les mains de la déesse Géa et était gardé par le démon Python. Ces deux divinités personnifiaient les puissances que la terre pouvait offrir. Mais c'est la puissance du Christ qui pouvait tout vaincre, puisqu'elle avait soumis jusqu'à l'esprit malin de Python. Juste après cet exorcisme, la servante ayant cessé de prophétiser, ses maîtres decidèrent de se venger. L'accusation portée contre Paul avait été bien étudiée et s'appuyait sur deux arguments: les accusés étaient d'origine juive et cherchaient à perturber la sérénité de leur ville en enseignant de nouvelles religions. Les préteurs romains ne manquaient jamais de punir tous ceux qui tentaient de troubler l'ordre de l'Etat, à plus forte raison

s'il ne s'agissait pas de citoyens romains. La même année ils avaient d'ailleurs chassé de leur capitale, Rome, un grand nombre d'habitants juifs. La tradition veut que la prison dans laquelle Paul et Silas furent jetés se trouvât à l'endroit où fut érigée, plus tard, la Basilique A. Ce

60-61. (en haut) Philippes, vue générale du site archéologique

60. (en bas) Philippes, la basilique A, vers 500 après J.-C.

61. (à gauche) Philippes, chapiteau byzantin

61. (à droite) Philippes, vue de la basilique B, vers 540 après J.-C.

point de vue n'a toutefois pas été confirmé, car les fouilles entreprises sous les ruines de la basilique ont révélé l'existence d'une citerne romaine.

L'incarcération de Paul à Philippes ne dura pas plus de quelques heures, comme il est rapporté dans les «Actes de apôtres». «Vers le milieu de la nuit Paul et Silas, étant en prières, chantaient les louanges de Dieu, et les prisonniers les écoutaient. Tout à coup, il se fit un grand tremblement de terre, de sorte que les fondations de la prison furent ébranlées. En même temps toutes les portes s'ouvrirent, et les liens de tous les prisonniers tombèrent. Le geôlier, réveillé en sursaut et voyant les portes de la prison ouvertes, tira son épée; et il allait se tuer, croyant que les prisonniers s'étaient enfuis. Mais Paul lui cria à haute voix: «Ne te fais point de mal; nous sommes tous ici!» Alors le geôlier, ayant demandé de la lumière, accourut; et, tout tremblant, il se jeta aux pieds de Paul et de Silas. Puis les ayant menés dehors, il leur dit: «Seigneurs, que faut-il que je fasse pour être sauvé?» Ils dirent: «Crois au Seigneur Jésus, et tu seras sauvé, toi et ta famille». Alors ils lui annoncèrent la parole de Dieu, ainsi qu'à tous ceux qui étaient dans sa maison. Le geôlier, les prenant avec lui à cette même heure de la nuit, lava leurs plaies; et aussitôt il fut baptisé, lui et tous les siens. Puis, les ayant fait monter dans son logement, il fit dresser la table et il se réjouit avec toute sa famille de ce qu'il avait cru en Dieu. Quand le jour fut venu, les préteurs envoyèrent les licteurs dire au geôlier: «Laisse aller ces hommes».

Le geôlier rapporta ces paroles à Paul: «Les préteurs me font dire de vous laisser partir. Sortez donc et allez en paix». Mais Paul dit aux licteurs: «Après nous avoir battus de verges en public et sans jugement, nous qui sommes citoyens romains, ils nous ont mis en prison; et maintenant, ils nous font sortir en cachette! Cela ne sera pas! Qu'ils viennent eux-mêmes nous mettre en liberté!» Les licteurs rapportèrent ces paroles aux préteurs qui furent effrayés en apprenant qu'ils étaient Romains. Ils allèrent donc leur faire des excuses, les mirent en liberté et les prièrent de quitter la ville. Quant ils furent sortis de la prison, les apôtres entrèrent chez Lydie, et, après avoir vu les frères et les avoir exhortés, ils partirent» (Actes 16, 25-41).

Le miracle du tremblement de terre, ainsi que le séjour en prison des détenus, fut certainement une expérience bouleversante pour le geôlier, qui se convertit immédiatement au christianisme. Sa famille et lui furent, avec Lydie, les premiers membres de la communauté chrétienne de Philippes, la première Eglise créée en Europe. Paul nourrit de tous temps des sentiments profonds envers l'Eglise de Philippes, comme le prouve le contenu de l'épître qu'il lui adressa lors de son incarcération à Rome ou à Ephèse. «Paul et Timothée, serviteurs de Jésus-Christ, à tous

62. Philippes, l'endroit où, selon la tradition, se situe la prison d'Apôtre Paul

63. Philippes, le théâtre: construit par Philippe II au IVe s. avant J.-C., il a été reconstruit par les Romains à la deuxième moitié du IIe s. après J.-C.

les saints en Jésus-Christ, qui sont à Philippes, ainsi qu'aux évêques et aux diacres. Grâce et paix vous soient données de la part de Dieu, notre Père, et du Seigneur Jésus-Christ! Je rends grâces à Dieu toutes les fois que je me souviens de vous; et, dans toute les prières que je fais pour vous tous, je prie toujours avec joie, à cause de la part que vous avez prise aux progrès de l'Evangile, depuis le premier jour jusqu'à maintenant» (Philippiens 1, 1-5). L'Eglise de Philippes se tint aux côtés de Paul dans tous les moments difficiles et lui vint très souvent en aide, aussi bien moralement que matériellement. «Vous le savez aussi, vous Philippiens, lorsque je commençai à prêcher l'Evangile, en quittant la Macédoine, aucune Eglise, si ce n'est la vôtre, n'entra en rapport avec moi pour établir entre nous un échange de dons; car, à Thessalonique déjà, et par deux fois, vous m'avez envoyé de quoi subvenir à mes besoins» (Philippiens 4, 15-16). Le fait que Paul ait fait une entorse à ses principes et accepté leur aide est une preuve de l'estime et de la confiance absolue qu'il leur portait.

Au cours de son troisième voyage, entre 52-56 apr. J.-C., Paul visita à nouveau les villes de Macédoine. Bien qu'il ne soit nulle part fait mention de Philippes, il dut certainement y passer, puisque l'Eglise de cette ville lui était chère. Sur le chemin du retour il suivit, en sens inverse, la route traversant la Macédoine, ce qui laisse supposer qu'il visita Philippes trois fois en tout. D'ailleurs, même quand il était absent, il ne manquait jamais de se tenir au courant de la progression des chrétiens. C'est dans le cadre de ces rapports que l'Eglise de Philippes lui envoya de l'aide par l'intermédiaire d'Epaphrodite, lorsqu'il se trouvait emprisonné à Rome, en 62-64 apr. J.-C. Une fois remis de la grave maladie qui l'avait fait s'attarder dans la capitale romaine, Epaphrodite regagna sa ville avec Timothée et l'épître écrite par Paul. Selon une autre version, la visite d'Epaphrodite ne serait pas reliée à l'incarcération de Paul à Rome, mais à Ephèse, en 54/55 apr. J.-C.

Après que le christianisme s'y fut implanté, Philippes devint une ville importante, occupant un emplacement stratégique. De nombreux monuments chrétiens y furent érigés à l'époque byzantine. Aujourd'hui encore on peut voir, parmi les ruines du site archéologique de Philippes, les restes de quatre basiliques paléochrétiennes, dont la plus intéressante est la Basilique B, du VIe s. de notre ère. Le monument paléochrétien le plus important était le fameux Octogone, église de plan octogonal construite à la fin du IVe s. et remaniée aux Ve et VIe siècles. Les fouilles ont dégagé en grande partie cet édifice qui était peut-être, selon certains experts, la cathédrale de la ville.

65. (en haut) Philippes, l'endroit où, selon la tradition, Lydie fut baptisée. Pour commémorer cet événement, une petite église y a été érigée

65. (en bas) Philippes, la pétite église moderne qui a été érigée à l'endroit où, selon la tradition, Lydie fut baptisée, au bord d'un petit cours d'eau, qui s'appelle Gaggitis

AMPHIPOLIS – APOLLONIE

«Ils passèrent par Amphipolis et par Apollonie puis ils allèrent
à Thessalonique» (Actes 17, 1).

L e fait que la troisième personne du pluriel soit à nouveau employée dans
cette phrase des «Actes des apôtres» nous indique que Luc ne suivit pas l'
itinéraire des apôtres en direction de Thessalonique. Il ressort d' autre part
de la suite du récit que seul Silas accompagna Paul, tandis que Timothée
restait à Philippes. Mais, à l' exception de ce renseignement indirect, rien d' autre ne
nous est connu sur le voyage à Amphipolis et à Apollonie. Il est cependant pour ainsi
dire certain que Paul et Silas empruntèrent la Via Egnatia pour parcourir les 55 kilomètres qui séparent Philippes d' Amphipolis.

Le site d' Amphipolis se trouve entre les monts Kerdylio et Pangée, tout près du
fleuve Strymon. La région, habitée depuis la période néolithique, s' appelait jadis Ennéa Odhoi (Neuf Routes). Jusqu' au Ve s. av. J.-C., elle était occupée par la tribu
thrace des Edoncs, qui durent très souvent faire face aux appétits de conquête des
Athéniens. En 437 av. J.-C., Ennéa Odhoi tomba aux mains d' Athènes, dont elle
devint une importante colonie qui prit le nom d' Amphipolis. L' essor que connut
par la suite la ville était dû à sa position géographique, point névralgique pour les
communications terrestres et fluviales, à proximité des mines d' or du Pangée et au
centre de la vallée fertile du Strymon. Avant de coloniser Amphipolis, Athènes s' était
emparée de son port, Eïon, situé 5 km plus au sud, sur l' embou-chure du Strymon,
au bord du golfe Strymonikos. Elle le garda même lorsqu' Amphipolis fut conquise
par les Spartiates, sous les ordres du général Brasidas, lors de la guerre de Péloponnèse (424 av. J.-C.). Brasidas et le général athénien Cléon y trouvèrent la mort en 422
av. J.-C., en s' entretuant au cours d' un dramatique combat. De 421 av. J.-C. jusqu'
à l' avènement de Philippe II (357 av. J.-V.), la ville connut une période
d' indépendance sous la suzeraineté des Macédoniens. C' est d' Amphipolis qu'
Alexandre le Grand, qui avait aligné sa flotte le long du Strymon jusqu'au port d'
Eïon, s' embarqua, en 334 av. J.-V., pour son expédition d' Asie. En 168 av. J.-C., les

Romains s'emparèrent de la ville, dont Paul-Emile fit son siège et la capitale de l'une des quatre subdivisions administratives de la Macédoine. Détruite au Ier s. av. J.-C. par des tribus thraces, elle fut reconstruite par Octave et connut la prospérité jusqu'au VIe s. apr. J.-C., époque où s'amorce son déclin, qui la fera tomber progressivement dans l'oubli.

La ville de l'époque classique était entourée d'une double muraille de 7,5 km de long. Des tronçons de ces fortifications, en partie remaniées à l'époque hellénistique, sont encore visibles aujourd'hui en quelque quatre-vingts endroits. A certains intervalles, on remarque, encastrés dans le mur, de nombreux conduits qui servaient à évacuer les eaux de pluie à l'extérieur de la ville. Cet ouvrage technique, d'une conception particulièrement avancée pour l'époque, était destiné à parer aux inondations qui auraient pu détruire les fortifications. Les fouilles archéologiques ont dégagé cinq portes des

remparts, dont trois, dans la partie nord, sont d'époque classique, les deux autres datant de l'époque romaine. Il semble que ce soit l'une de ces dernières –la porte du Sud, qui conduisait à la Via Egnatia– qu'ait franchie l'apôtre Paul pour pénétrer dans la ville. Au N.O. de celle-ci, tout près du rempart, on a découvert dernièrement un monument unique, relié aux événements de la guerre du Péloponnèse tels que les décrit l'historien Thucydide. Il s'agit du fameux pont sur le Strymon, dont la charpente en bois, unique en Grèce, a résisté au passage du temps. C'est ce pont que franchit le général spartiate Brasidas en 424 av. J.-C., contribuant ainsi à la prise d'Amphipolis.

Les fouilles ont dégagé jusqu'à ce jour plusieurs maisons particulières datant du IVe s. av. J.-C. à l'époque hellénistique, mais très peu de bâtiments publics. Parmi ces derniers, on peut voir un gymnase utilisé dès le IVe s. av. J.-C., les vestiges d'un théâtre, un petit temple de Déméter pro-

venant de la ville antique de Ennéa Od-hoi, un sanctuaire des divinités phrygiennes et un sanctuaire consacré à la muse Clio. Parmi les monuments funéraires, on remarque trois tombes macédoniennes du IIIe s. av. J.-C. et le célèbre Lion d' Amphipolis. Selon l' hypothèse la plus plau-sible, ce lion, aujourd'hui restauré, surmontait un tombeau dans lequel fut inhumé l' un des généraux d' Alexandre au retour de l' expédition d' Asie, à la fin du VIe s. av. J.-C.

Plusieurs de ces constructions devaient exister lorsque Paul visita Amphipolis, mais la rareté des vestiges d' époque romaine ne permet pas d' avoir une image précise de la ville en ce temps-là. Par contre, les nombreux monuments des premières années de l' ère chrétienne qui ont été mis au jour attestent le succès remporté par la prédication de Paul. En effet, il semble que le premier noyau de la communauté chrétienne se soit formé assez tôt, puisque, dès le IIIe s., Amphipolis

était devenue le siège d' un évêché et qu' un de ses enfants, saint Mokios, souffrit le martyre sous Dioclétien. Il subsiste aujourd'hui des vestiges de quatre basiliques paléochrétiennes et d' un édifice sacré hexagonal du VIe s. apr. J.-C.

L' étape suivante de Paul et de Silas fut Apollonie, située sur la Via Egnatia, à environ 45 km à l' O. d' Amphipolis, tout près du village actuel de Néa Apollonia. Cette ville, construite au Ve s. av. J.-C. par Philippe Ier et consacrée au dieu Apollon, protecteur de la musique, de l' harmonie et de la poésie, devait son développement à sa proximité du lac Volvi. Elle fut détruite par des invasions barbares aux Ve et VIe s. apr. J.-C.

66. Amphipolis, le célèbre Lion d' Amphipolis, qui surmontait un tombeau dans lequel fut inhumé l' un des généraux d'Alexandre au retour de l' expédition d' Asie, IVe s. avant J.-C.

68. Amphipolis, vue des fortifications anciennes de la ville

69. Amphipolis, vestiges de la charpente en bois du pont sur le fleuve Strymon, de la période classique

THESSALONIQUE

A près être passé par Amphipolis et Apollonie, Paul continua son chemin en direction de Thessalonique en suivant la Via Egnatia sur encore quelque 60 kilomètres. La courte durée de son séjour dans les deux villes précédentes allait de soi, puisqu'il savait que tout près de là se trouvait Thessalonique, ville particulièrement importante et capitale de la province romaine de Macédoine. La région de Thessalonique, à l'abri au fond d'une échancrure profonde du golfe Thermaïque, a une histoire millénaire. Elle fut habitée continuellement depuis qu'elle fut occupée, pour la première fois, à l'époque néolithique. Bien avant la fondation de Thessalonique il existait dans les parages une ville appelée Thermé, qui a donné son nom au golfe Thermaïque. Si son emplacement exact n'a pas encore été repéré, son existence est toutefois attestée par les sources antiques. Dès l'arrivée des premiers Grecs, à l'âge du Bronze, les localités environnantes –et parmi elles Thermé– entretinrent des contacts continus avec la Grèce du Sud, aussi bien sur le plan matériel que culturel. La nécessité de communication avec les autres villes grecques poussa le roi de Macédoine Cassandre à unir 26 petites cités du golfe Thermaïque et à fonder –en 316/315 av. J.-C.– une nouvelle ville, à laquelle il donna le nom de son épouse, soeur d'Alexandre le Grand. Thessalonique fut fortifiée et devint très rapidement un important centre commercial et naval. Il ne reste que quelques rares vestiges de cette première période de la ville, mais les sources historiques rapportent qu'elle possédait des palais luxueux, une agora, un gymnase et de nombreux sanctuaires.

Conquise par les Romains en 168 av. J.-C., Thessalonique devint, quelques années plus tard (146 av. J.-C.), la capitale de la province de Macédoine. En 42 av. J.-C., proclamée ville libre, elle fut dotée d'une administration démocratique, acquit le droit de choisir ses propres archontes et de battre monnaie. Sous le règne d'Auguste, elle réussit, grâce à sa prospérité et à son essor culturel, à conserver son identité grecque au détriment de l'élément latin. Elle fut, jusqu'aux premières années de l'ère chrétienne, un

centre fréquenté par les intellectuels et les artistes, mais aussi par de nombreux émigrés, commerçants et artisans.

C'est dans ce cadre que s'était organisée la communauté juive de la ville devant laquelle saint Paul prêcha. En 250 apr. J.-C., sous l'empereur Decius, Thessalonique devint une colonie romaine, tandis qu'en 297 apr. J.-C. l'empereur Galère s'y installa et y construisit le palais impérial. Celui-ci se trouvait dans le secteur S.E. de la ville et comprenait, outre le palais proprement dit, la Rotonde, l'Octogone, l'Hippodrome et l'Arc de Galère. La Rotonde, située au nord, devait servir de mausolée à Galère. De forme circulaire, elle était coiffée d'une coupole avec un orifice en son centre. Au milieu du Ve s. apr. J.-C., l'édifice fut trans-

formé en église chrétienne, consacrée à St Georges, qui a bien résisté au passage du temps et constitue aujourd'hui l'une des principales curiosités de Thessalonique. Au sud de la Rotonde, on remarque l'Arc de Galère, qui commémore la victoire de l'empereur sur les Perses. La route qui passait sous l'Arc conduisait au palais, bâtiment luxueux dont les pièces s'ordonnaient autour d'une cour centrale bordée de portiques. A l'est se trouvait l'Hippodrome et, un peu plus au sud, se dressait l'Octogone, l'édifice le plus important du palais, qui devait vraisemblablement servir de salle du trône. Le Forum de Thessalonique, construit au IIe s. apr. J.-C., comprenait deux places contiguës, des portiques abritant des magasins et des locaux administra-

tifs, ainsi qu'un Odéon. Les fouilles ont mis au jour un grand nombre de bains romains (thermes) et des tronçons de la Via Regia, extension de la Via Egnatia. Les objets découverts au cours des fouilles sont exposés au musée archéologique de Thessalonique, qui abrite également les trésors des tombes de Vergina, capitale de l'Etat de Philippe II.

A l'époque byzantine, Thessalonique, toujours aussi prospère, était un important centre politique, économique et chrétien de la Macédoine. Très tôt, les empereurs de Byzance s'intéressèrent à la ville, à commencer par Constantin le Grand qui réaménagea son port. Vers la fin du IVe s. et le début du Ve s., on entreprit la construction d'un nouveau rempart, très puissant,

dont de grands tronçons ont subsisté jusqu'à nos jours. C'est au Ve s. que furent érigées les églises chrétiennes Saint-Démètre, Acheiropoiétos et Ossios David (monastère de Latomos). La basilique Saint-Démètre s'élève sur l'emplacement de bains romains, où, selon la tradition, St Démètre aurait subi le martyre en 303 apr. J.-C. C'est l'une des créations les plus importantes de l'art chrétien, tant au point de vue architectural que pour son décor sculpté et ses mosaïques. De très belles mosaïques décorent également les autres églises mentionnées plus haut, ainsi que l'église Saint-Georges

71-72. Thessalonique, la Tour Blanche, partie des remparts médiévals de la ville

73. Thessalonique, la place Diikitiriou au centre de la ville

(Rotonde). C'est sur l'emplacement d'une basilique datant de la même époque que fut érigée, au VIIe s., l'église Sainte-Sophie, basilique à coupole décorée, elle aussi, de magnifiques mosaïques et fresques.

Du VIe au XIe s. apr. J.-C. Thessalonique souffrit d'attaques continuelles des Slaves, des Avares, des pirates sarrasins et des Bulgares. En 995, Samuel, tsar des Bulgares, après avoir écrasé l'armée byzantine, s'empara de la ville, qui fut reprise par les Byzantins lors des victoires remportées par Basile II le Bulgaroctone (1014-1019). Pendant quelques décennies le calme régna et Thessalonique connut un nouvel essor dans tous les domaines. C'est au cours de cette période que fut érigée l'église de la Panagia Chalkéon (1028), édifice en forme de croix grecque surmonté d'une coupole, qui combine les tendances architecturales du sud de la Grèce et de Constantinople. Le XIIe s. fut marqué par les incursions des Normands et le début du XIIIe s. par la prise de Constantinople par les Francs

(1204), à la suite de laquelle Thessalonique échut en partage à Boniface de Montferrat. En 1223, le royaume latin de Thessalonique fut dissous par Théodore Ange, despote d'Epire, qui, à son tour, se fit couronner roi. En 1261, après la reprise de Constantinople, Thessalonique revint à nouveau aux Byzantins. Sous le règne des Paléologue, elle connut une remarquable prospérité, accompagnée d'une grande activité dans la construction. C'est à cette époque que furent édifiées les églises Agii

74-75. (en bas) Thessalonique, la Rotonde, un édifice circulaire qui devait servir de temple où mausolée de l' empereur Galère (306-311 après J.-C.). Au Ve s. après J.-C. il fut transformé en église chrétienne, consacrée à St Georges

74. (en bas) Thessalonique, l' église de Sainte-Sophie, VIIe s. après J.-C

75. (en bas à gauche) Thessalonique, la basilique de St Démètre, seconde moitié du Ve s. après J.-C.

75. (en bas à droite) Thessalonique, l' église de Prophète Élie, XIVe s. après J.-C.

Apostoli (des Saints-Apôtres), Agia Ekatérini, Agios Pantéléimon, Agios Nicolaos Orphanos, la chapelle Agios Efthymios de la basilique Saint-Démètre, ainsi que le monastère des Vlatades. Les églises de Thessalonique constituent un véritable trésor de l'art chrétien couvrant toutes les phases de la période byzantine. Les objets d'art de cette époque sont exposés dans le musée Byzantin de la ville.

Après sept ans de domination vénitienne, Thessalonique fut conquise par les Turcs, en 1430. A partir de la fin du XVe s., on vit se développer dans la région une nombreuse communauté juive qui contribua à l'essor économique et culturel du XVIe s. En 1821, la ville prit une part active aux luttes pour la libération, tandis qu'en 1903-1904 elle devint le centre du Combat macédonien. En 1912, elle fut définitivement libérée du joug turc, mais, détruite en 1917 par un terrible incendie, elle dut être entièrement reconstruite.

De nos jours, Thessalonique, la «nymphe du golfe Thermaïque», est la deuxième grande ville de Grèce. Plaque tournante du nord du pays, c'est un important centre commercial, industriel et touristique, doté de plusieurs établissements d'enseignement supérieur et de grandes écoles. Elle connaît une vie culturelle particulièrement développée, perpétuant ainsi une tradition millénaire. Le lien entre le passé et le présent est d'ailleurs attesté par les nombreux monuments anciens, épars parmi les bâtiments modernes. Le nombre important d'églises chrétiennes qui s'y trouvent donne à la ville un caractère fortement byzantin. Car, si à Athènes on découvre la religion grecque de l'antiquité, à Thessalonique c'est avec le christianisme qu'on entre en contact.

Les premiers germes de la religion chrétienne à Thessalonique furent incontestablement cultivés par l'apôtre Paul. Sa prédication semble avoir provoqué un grand effet sur son auditoire dès sa première visite, en 49 apr. J.-C. Son premier souci, à son arrivée à Thessalonique, fut de se rendre à la synagogue. «Paul se rendit à la

76. Thessalonique, vue du monastère des Vlatades, 1360-1370 après J.-C.

77. (en haut) Thessalonique, l'église de St Nicolaos «Orphanos», début de XIVe s. après J.-C.

77. (en bas) Thessalonique, l'église de Panagia Chalkéon, 1028 après J.-C.

synagogue et il discuta avec eux pendant trois sabbats, expliquant et démontrant par les Ecritures, qu'il fallait que le Christ souffrît, et qu'il ressuscitât des morts. «Ce Christ, disait-il, c'est Jésus que je vous annonce». Quelques-uns d'entre eux furent persuadés; et ils se joignirent à Paul et à Silas, ainsi qu'un grand nombre de Grecs craignant Dieu, et plusieurs femmes de qualité» (Actes 17, 2-4).

Selon les «Actes des apôtres», Paul resta à Thessalonique trois semaines. Cependant un renseignement contenu dans la première Epître adressée aux Thessaloniciens fait penser que son séjour fut de plus longue durée. «Vous vous souvenez, frères, de nos labeurs, et de nos fatigues: c'est en travaillant nuit et jour, pour n'être à charge à aucun de vous, que nous vous avons prêché l'Evangile de Dieu» (I Thessaloniciens 2, 9). Le fait qu'il fut obligé de travailler indique qu'il dut rester assez longtemps, très probablement plus de trois semaines. D'autre part, il est mentionné

mètre ou de l'église Sainte-Sophie, ou encore du monastère des Vlatades. Mais ce ne sont là que des hypothèses qui n'ont pas été confirmées par les recherches archéologiques. Paul dut toutefois prêcher également en d'autres endroits de la ville, puisque de nombreux Grecs purent écouter sa prédication et se convertir.

Grâce aux renseignements donnés dans les «Actes des apôtres» et dans les deux Épîtres aux Thessaloniciens, nous sommes assez bien informés sur le contenu de la prédication de Paul à Thessalonique. Selon ces sources, les thèmes abordés concernaient la passion du Christ, sa résurrection et le Jugement dernier. Paul exhortait les chrétiens à observer les lois de Dieu, parce que, lorsqu'arriverait le jour du Jugement, ils devraient rendre compte de leurs actes devant le Christ, le juste Juge. Il semble toutefois que sa prédication jeta le trouble parmi les habitants de la ville et c'est pour cette raison qu'il dut insister sur le fait que l'heure du Jugement ne surviendrait qu'après la venue de l'Antéchrist (II Thessaloniciens 2, 3-5).

Comme il ressort de la lecture des Épîtres, nombreux furent ceux qui embrassèrent le christianisme à Thessalonique. Paul ne cessa jamais de louer la communauté chrétienne de la ville pour sa foi en Christ et pour ses luttes continues. «Vous-mêmes, vous avez été nos imitateurs et ceux du Seigneur, en recevant la Parole au milieu de beaucoup d'afflic-

dans l'Épître aux Philippiens que lorsqu'il se trouvait à Thessalonique on lui envoya de l'aide à deux reprises (Philippiens 4, 16), ce qui n'aurait pas été faisable, ni même peut-être indispensable pour un si court laps de temps.

L'endroit de la ville où se trouvait la synagogue n'a pas pu être localisé jusqu'à ce jour. De nombreux chercheurs et voyageurs ont exprimé différentes opinions en ce qui concerne son emplacement exact, la situant sur le lieu de l'église Saint-Dé-

78-79. Thessalonique, vue des remparts médiévals avec le tour de Trigonion

tions, avec la joie du Saint-Esprit; aussi avez-vous servi de modèles à tous les croyants de la Macédoine et de l'Achaïe. Car non seulement la parole du Seigneur a retenti de chez vous jusque dans la Macédoine et dans l'Achaïe, mais la foi que vous avez en Dieu s'est fait connaître en tous lieux, si bien que nous n'avons pas besoin d'en parler. Tous, en effet, racontent quel accueil nous avons trouvé auprès de vous, et comment vous vous êtes convertis à Dieu, abandonnant les idoles pour servir le Dieu vivant et vrai» (I Thessaloniciens 1, 6-9).

Toutefois son séjour à Thessalonique lui réservait de nouveaux ennuis. «Mais les Juifs, pleins de jalousie, ramassèrent dans les rues quelques mauvais sujets et, ameutant la foule, ils jetèrent le trouble dans la ville. Ils assaillirent la maison de Jason, et ils y cherchèrent Paul et Silas pour les amener devant le peuple. Ne les ayant pas trouvés, ils traînèrent Jason et quelques-uns des frères devant les magistrats de la ville, en criant: «Ces gens qui ont bouleversé le monde, les voilà maintenant ici! Jason les a reçus chez lui. Or, ils sont tous rebelles aux édits de César, puisqu'ils di-

sent qu'il y a un autre roi, Jésus». Ces paroles émurent la foule et les magistrats. Ceux-ci, cependant, après avoir exigé une caution de Jason et des autres, les relâchèrent» (Actes 17, 5-9). L'accusation portée par les Juifs contre Paul et Silas était semblable à celle à laquelle ils avaient dû faire face à Philippes. Ce n'est d'ailleurs pas par hasard que le Christ lui-même avait été arrêté et crucifié parce qu'il était jugé dangereux pour l'intégralité de l'Etat romain. A Thessalonique, les deux apôtres réussirent à éviter l'arrestation en s'échappant de chez Jason et en quittant discrètement la ville. Selon la tradition, la maison où ils furent accueillis se trouvait dans la ville haute, là où, plus tard, fut fondé le monastère des Vlatades. Mais ce témoignage n'a pas non plus pu être vérifié, bien que cette région porte aujourd'hui le nom d'Agios Pavlos (Saint-Paul). On y trouve deux églises consacrées à sa mémoire, l'une petite, érigée à la fin du XIXe s. et l'autre, plus grande, datant de 1950. On pense, sans en avoir aucune preuve, que c'est à l'endroit où se dresse la première que Paul alla se réfugier après être parti de chez Jason. Paul se mit ensuite en route pour le sud de la Grèce et arriva à Athènes, mais désireux d'être tenu au courant des progrès de l'Eglise de Thessalonique, il chargea Timothée de s'y rendre. Celui-ci, après avoir accompli sa mission, rentra et rencontra Paul à Corinthe en 50/51. C'est alors, à quelques semaines d'intervalle, que furent écrites les deux Epîtres aux Thessaloniciens, les textes les plus anciens du Nouveau Testament. Elles avaient pour but de donner du courage aux chrétiens, qui subissaient les contraintes et les persécutions des Juifs. Paul voulut même aller une deuxième fois à Thessalonique, mais il ne put réaliser immédiatement son voeu. «Pour nous, frères, séparés de vous, pour quelque temps, de corps, mais non de coeur, nous avons cherché avec d'autant plus d'empressement à satisfaire notre vif désir de revoir votre visage. Aussi, par deux fois, avons-nous voulu aller vous trouver, –moi, du moins, Paul; mais Satan nous en a empêchés. En effet, qui donc, –sinon vous-mêmes– sera notre espérance, ou notre joie, ou la couronne dont nous nous glorifierons, en présence de notre Seigneur Jésus, à notre avènement? Oui, vous êtes notre gloire et notre joie!» (I Thessaloniciens 2, 17-20). Ce n'est qu'au cours de son troisième voyage, en 52-56 apr. J.-C. – lorsqu'il partit d'Ephèse pour visiter à nouveau les nouvelles Eglises chrétiennes avant de reprendre le chemin inverse pour retourner en Asie – qu'il réussit vraisemblablement à se rendre une deuxième et même une troisième fois dans la ville qu'il aimait tant.

80. Thessalonique, l' église de Sainte-Catherine, 1330-1340 après J.-C.

81. Thessalonique, vue de la ville et des remparts médiévals

VÉRIA (BÉRÉE)

P artis de Thessalonique pendant la nuit, Paul et Silas se dirigèrent vers le sud-ouest et, après avoir parcouru environ 70 kilomètres, s'arrêtèrent à Bérée, cité construite sur les contreforts du mont Vermion, dans la plaine arrosée par la rivière Tripotamos, affluent de l'Aliakmon. C'est aux chutes de cette rivière qu'est dû l'essor industriel que connaît de nos jours la ville de Véria dont les habitants vivent également du commerce, de l'agriculture et de l'élevage. L'afflux touristique y est par contre limité, bien qu'elle ne manque ni de charme, ni de pittoresque. Son aspect moderne se perd dans les vieux quartiers aux ruelles étroites, bordées de maisons aux fenêtres grillagées, où se cachent de nombreuses et remarquables églises byzantines, témoins d'un brillant passé. Passé que, par ailleurs, les salles du musée archéologique local permettent de découvrir dans toute son étendue.

La région de Véria fut habitée dès le VIe millénaire av. J.-C. Tout près de la ville, à Néa Nikomidia, des fouilles archéologiques ont mis au jour un habitat néolithique aux maisons carrées, faites de poutres, de branches d'arbres et de glaise. La ville elle-même est mentionnée pour la première fois sous le nom de Beroia par Thucydide. La mythologie raconte qu'elle fut fondée par Beroia, fille d'Okéanos et de Thétis. Ses plus anciens habitants étaient des Bryges de Thrace, qui furent rapidement vaincus par les Macédoniens, auxquels ils abandonnèrent leur cité. Les trouvailles archéologiques faites jusqu'à ce jour nous permettent de remonter jusqu'au IVe s. av. J.-C. C'est de cette époque que datent les vestiges d'un vaste cimetière, d'un stade et de l'ancienne agora. Prise par les Romains en 168 av. J.-C., Beroia devint rapidement l'une des villes les plus importantes de la Macédoine.

Elle fut également prospère à l'époque byzantine, comme l'attestent les 48 églises chrétiennes qui ont subsisté jusqu' à nos jours. A partir du début du XIe s. elle constitua une subdivision administrative de la Macédoine. C'est entre 1070 et 1080 que fut construite la vieille métropole, basilique à trois nefs coiffée d'une toiture de bois et décorée de fresques datant du XIIe au XIVe s. De 1204 à 1215/6, la ville fut occupée par les Latins, puis par Théodore Ange d'Epire jusqu'à son rattachement à l'Empire de Nicée, en 1246. C'est sous le règne d'Andronic II Paléologue qu'eut lieu l'inauguration (1315) de l'église de la Résurrection du Christ – ou du Christ, comme on l'appelle aujourd'hui—petite église à une seule nef, décorée au XIVe s. par le célèbre peintre Georges Kalliergis. De 1343 à sa prise par les Turcs en 1387, Véria passa à tour de rôle de la domination de Jean et Manuel Cantacuzène à celle du roi des Serbes Stefan Douchan. Pendant toute la durée de la domination turque, on continua à y ériger des églises chrétiennes, entre autres les églises Panagia Haviara, Panagia Kyriotissa (XVe s.) et Agios Nicolaos (XVIe s.). La ville fut finalement libérée en

1912, à la fin des guerres balkaniques.

Le grand nombre d'églises qui embellirent Véria au cours des siècles atteste l'existence d'une longue tradition chrétienne, qui remonte indiscutablement à la visite de Paul. Lorsque Paul et Silas arrivèrent à Bérée, ils se rendirent aussitôt à la synagogue des Juifs, où ils rencontrèrent Timothée, qu'ils avaient quitté à Philippes. La prédication des apôtres dut produire un grand effet sur les habitants de la ville, tant sur les Juifs que sur les païens. «Ceux-ci eurent des

sentiments plus nobles que ceux de Thessalonique, et ils accueillirent la Parole avec beaucoup d'empressement, examinant tous les jours les Ecritures, pour vérifier ce qu'on leur disait. Plusieurs d'entre eux crurent, ainsi que des femmes grecques de haut rang, et des hommes en assez grand nombre» (Actes 17, 11-12). L'endroit où Paul prêcha nous est inconnu, mais dans le secteur S.E. de la ville, un petit oratoire, décoré d'une mosaïque le représentant, a été consacré à sa mémoire. La tradition locale considère que c'est de la hauteur qui s'élève à cet endroit que retentit pour la première fois le message du christianisme.

Paul dut rester assez longtemps à Bérée, mais il fut obligé de quitter la ville lorsque les Juifs de Thessalonique se mirent à le pourchasser. «Quand les Juifs de Thessalonique surent que Paul annonçait aussi la parole de Dieu à Bérée, ils s'y rendirent pour répandre l'agitation et le trouble parmi le peuple. Sans tarder, les frères firent partir Paul, dans la direction de la mer, tandis que Silas et Timothée restaient à Bérée» (Actes 17, 13-14).

82. *Véria, Apôtre Paul, mosaïque d'*
un petit oratoire qui a été construit
dans la ville contemporaine à l'
endroit où, selon la tradition, Paul
prêcha

84. *(en haut) Véria, la «Tribune»*
(Bêma) d'Apôtre Paul, l'endroit où,
selon la tradition, Paul prêcha

84. *(en bas) Véria, la Vieille*
Métropole, 1070-1080 après J.-C.

85. *(en haut) Véria, vue du vieux*
quartier juif de la ville avec une
synagogue restaurée (à gauche)

DION

Bien que le passage de Paul par la ville de Dion ne soit mentionné nulle part, plusieurs chercheurs ont émis l' hypothèse que c'est de là qu'il s' embarqua pour parvenir à son étape suivante: Athènes.Hypothèse assez vraisemblable, puisque Dion était le port le plus proche de Bérée et que si le site archéologique se trouve aujourd'hui à 6 km environ de la mer, c' est en raison des alluvions accumulés au cours des siècles.

Dion, centre religieux panhellénique, était une ville très importante pour les anciens Macédoniens. Construite entre l' Olympe, la demeure des dieux, et les monts Piéria, où habitaient les Muses, elle eut très tôt des sanctuaires consacrés à ses divinités.

A la fin du Ve s. av. J-C., le roi de Macédoine Archélaos institua dans la région les Olympia, fêtes en l' honneur de Zeus et des Muses qui duraient neuf jours –«9», comme les Muses– et comprenaient des concours de musique et d' athlétisme. Les sources antiques rapportent qu' Alexandre la Grand prit part aux fêtes avant

son expédition, pour honorer Zeus comme il se devait. On adorait aussi à Dion la déesse Déméter, dont le sanctuaire, fondé vers 500 av. J.-C., compte parmi les plus anciens de la Macédoine. Les fouilles archéologiques ont également mis au jour deux autres sanctuaires consacrés à Isis et à Asclépios, un théâtre hellénistique et un autre de l' époque romaine, des bains romains très luxueux, décorés de statues de membres de la famille d' Asclépios et de mosaïques, des tronçons des remparts de la ville (fin du IVe s. av. J.-C. à la période romaine), une grande maison aux pavements de mosaïque (200 apr. J.-C.) et trois basiliques paléochrétiennes. Les objets découverts au cours des fouilles sont exposés dans le musée archéologique local. Dion fut pris par les Romains en 168 av. J.-C. et devint une colonie romaine appelée Colonia Julia Diesis. La ville cessa d' exister au Ve s. apr. J.-C., quand ses maisons et ses sanctuaires furent saccagés.

86-87. Dion, vue du site archéologique

ATHÈNES

«Ceux qui accompagnaient Paul le consuisirent jusqu' à Athènes; puis ils s' en retournèrent, apportant à Silas et à Timothée l' ordre de le rejoindre au plus tôt". (Actes 17, 15).

Après la Macédoine, Paul choisit d' enseigner le christianisme à Athènes, berceau de la religion grecque antique. L' attrait que continuait à exercer la ville de la pensée et de l' art était tel que si sa prédication était acceptée par ses habitants, elle pourrait alors être propagée dans le monde entier. Il n' est peut-être pas exagéré de penser que l' apôtre des gentils lui-même fut curieux de connaître de près le centre d' une civilisation sur laquelle il avait appris tant de choses à Tarse.

Lors de son passage en 49/50 apr. J.-C., Athènes était déjà une ville au passé millénaire. Ses premiers habitants s' étaient installés dans la région autour de l' Acropole à la période néolithique, tandis que les premiers Grecs avaient fait leur apparition aux environs de l' an 2000 av. J.-C.

A l' époque mycénienne (XVIe - XIIe s. av. J.-C.), la colline de l' Acropole fut fortifiée pour protéger la population et le palais du roi. Selon la légende, Thésée, le plus grand roi athénien, réunit les différentes agglomérations de l' Attique, créant ainsi une cité-état unie, ayant pour centre Athènes. Ce «synoecisme», réalisé vers le VIIIe s. av. J.-C., contribua certainement à l' extraordinaire essor d' Athènes. Au VIIe s. av. J.-C., le pouvoir, jusqu' alors royal, passa aux mains des aristocrates et, en 624 av. J.-C., le droit athénien fut codifié pour la première fois par Dracon. En 594 av. J.-C., les Athéniens chargèrent Solon, un des sept sages de l' antiquité, de rédiger de nouvelles lois. Ses réformes donnèrent au régime un caractère oligarchique, puisque les dignités et les devoirs des citoyens étaient fixés d' après leurs revenus. En 561/560 av. J-C., Pisistrate, avec l' aide des classes populaires, instaura à Athènes un régime tyrannique, que ses fils Hipparque et Hippias maintinrent jusqu'en 510 av. J.-C. C' est sous cette tyrannie que la ville s' embellit de nombreux monuments et sanctuaires. De même

que c' est à cette époque que furent rédigées les épopées homériques, que fut réorganisée la grande fête des Panathénées et que fut introduit le culte de Dionysos, ancêtre du théâtre. En 508 av. J.-C., grâce aux réformes proposées par Clisthène, Athènes connut un régime démocratique. De 490 à 480/479 av. J.-C., les habitants de la ville jouèrent un rôle prépondérant dans la résistance opposée aux visées ex-

pansionnistes des Perses. Au cours des guerres médiques, Athènes fut incendiée à deux reprises, puis reconstruite et fortifiée sur l' initiative de Thémistocle. C' est à ce dernier que l' on devait également le renforcement de la flotte athénienne et la fondation de la Confédération attico-délienne, en 478 av. J.-C. Cette alliance, à laquelle participaient de nombreuses cités grecques, avait comme but initial d' oppo-

des moments de grandeur et de gloire. Mais cet épanouissement remarquable ne fut pas capable d' empêcher la guerre du Péloponnèse, qui éclata en 431 av. J.-C., divisant la Grèce en deux camps ennemis, dont les principaux adversaires étaient Athènes et Sparte, la deuxième grande cité grecque. La défaite finale d' Athènes, en 404 av. J.-C., marqua pour cette ville le début d' une période de déclin. En 338 av. J.-C., elle fut prise par Philippe II de Macédoine, qui respecta sa civilisation, de même d' ailleurs que son fils Alexandre. A l' époque hellénistique, elle dépendit de la politique des successeurs d' Alexandre et, au IIe s. av. J.-C., elle fut occupée par les Romains. Pillée par le consul romain Sylla en 86 av. J.-C., au cours de la guerre contre Mithridate, il lui fallut beaucoup de temps pour se redresser.

Athènes, à l' époque de Paul, n' était évidemment pas la ville florissante de la période classique, mais elle conservait la gloire de son passé et de très nombreux monuments, témoins de sa supériorité dans le domaine de la pensée et de l' art. La plupart de ces monuments sont encore visibles de nos jours, grâce aux fouilles effectuées sans relâche sur toute l' étendue de la ville. Mais, au Ier s. de notre ère, il devait certainement y en avoir encore bien plus et Paul dut les visiter ou les apercevoir sur son passage. Comme nous l' apprennent les «Actes des apôtres». «Pendant que Paul les atten-

ser un front commun au danger perse. Athènes acquit en son sein une place dominante et devint la première cité de la Grèce. Parallèlement, sur le plan politique, le pouvoir était passé aux mains de Périclès, le démiurge de «l' âge d' or», la période la plus brillante de l' histoire athénienne. C' est sous Périclès que la démocratie atteignit son apogée et que tous les domaines de la pensée et de l' art connurent

89. Athènes, vue de la ville avec l' Odéon d' Hérode Atticus (160-174 après J.-C.) et l' Acropole
90. Athènes, le Parthénon sur l' Acropole, 447-432 avant J.-C.

dait à Athènes, il avait le coeur outré à la vue de cette ville remplie d' idoles. Il discutait donc dans la synagogue avec les Juifs et les prosélytes, et, chaque jour, sur la place publique, avec ceux qui s' y rencontraient" (Actes 17, 16-17).

Il semble que son premier contact avec les oeuvres des Athéniens se soit produit au cours de son voyage. En partant de Dion, le bateau de Paul dut longer les côtes du golfe Thermaïque et de l' Eubée, puis virer en direction ouest avant d' arriver au cap Sounion, surmonté du temple du dieu Poséidon qui impressionne, de nos jours encore, les voyageurs. On adorait à cet endroit, dans deux sanctuaires distincts, les dieux Poséidon et Athéna qui, selon la légende, s' étaient disputé la suprématie sur Athènes en offrant, respective-

ment, un cheval sauvage et un rameau d' olivier. Les Athéniens préférèrent, bien entendu, le cadeau d' Athéna et donnèrent son nom à leur ville, ce qui ne les empêcha pas d' adorer également Poséidon, le dieu de la mer, à l' extrémité de ce promontoire escarpé. Le temple qu'aperçut Paul était un édifice en marbre, de style dorique, construit à l' époque de Périclès. S' il ne subsistait plus rien du temple ionique d' Athéna, détruit par Sylla, on devait par contre distinguer des restes de l' enceinte construite par les Athéniens en 412 av. J.-C., pendant la guerre du Péloponnèse. Car Sounion n' était pas seulement un lieu

92. Attique, le temple de Poséidon au cap Sounion, 444-440 avant J.-C.

93. Athènes, vue de la Voies des Tombes du cimetière de l' ancien Céramique

sacré, mais aussi une forteresse à l'impor-tance stratégique. Selon la tradition, lors-qu'on arrivait à Sounion par la mer, on pouvait apercevoir au loin la célèbre statue d'Athéna Promachos, oeuvre du grand sculpteur athénien Phidias, érigée sur le rocher de l'Acropole pour commémorer la victoire contre les Perses à la bataille de Marathon, en 490 av. J.-C.

En virant ensuite en direction nord, le bateau de Paul dut atteindre Le Pirée, après être passé à proximité des îles d'Egi-ne et de Salamine, dans le golfe Saro-nique. Le Pirée, aujourd'hui le plus grand port de Grèce, se développa à l'époque de Thémistocle, lorsqu'Athènes commença à renforcer sa marine de guerre. La ville, construite sur les plans de l'architecte Hippodame de Milet et fortifiée, devint le port d'Athènes. En 478 av. J.-C., la route reliant les deux cités, fut protégée par la construction des fameux Longs-Murs, qui rendaient la circulation plus sûre. Toute-fois, à l'époque de Paul, Le Pirée était tombé en décadence et ses bâtiments avaient été détruits par Sylla, en 86 av. J.-C. Cette affirmation découle non seulement de la recherche archéologique, mais aussi des témoignages d'un autre Romain, Pau-sanias, qui visita plusieurs villes grecques au IIe s. apr. J.-C. et décrivit en détail les monuments qu'il avait vus au cours de ses voyages. On peut, en se basant sur le trajet suivi par Pausanias, reconstituer celui de Paul jusqu'à Athènes, puisqu'un siècle seulement séparait les deux voyageurs.

Pour se rendre du Pirée à Athènes, il suivit la direction nord-est, en ayant comme point de repère le Parthénon, sur la colline de l'Acropole. L'Acropole était le site où se développa le culte d'Athéna, la déesse la plus importante de la ville. Ce lieu, à l'origine habité, avait pris une importance religieuse dès le VIe s. av. J.-C., lorsque Pisistrate y fit construire un temple en tuf consacré à Athéna, la déesse tutélaire en l'honneur de laquelle était célébrée la fête des Panathénées, qui comprenait des concours d'athlétisme et une grande procession à laquelle participaient tous les habitants de la ville. Cette procession, accompagnée de sacrifices sur l'Acropole, avait pour but la remise d'un nouveau péplos à la statue d'Athéna. Les Panathénées connurent leur apogée au Ve s. av. J.-C., lorsque le Rocher Sacré fut em-

belli de merveilleux édifices. Entre 437 et 432 av. J.-C., l'architecte Mnésiclès érigea les monumentaux Propylées à l'entrée occidentale, ainsi que le temple ionique d'Athéna Niké, commémorant la victoire des Athéniens contre les Perses. Le Parthénon, symbole de l'Athènes démocratique, fut construit entre 447 et 432 av. J.-C. sur les plans des architectes Ictinos et Callicratès. C'était un temple dorique avec des éléments ioniques, construit en marbre pentélique et décoré d'audacieuses compositons sculptées par Phidias. C'est à ce grand sculpteur que l'on devait la fameuse frise ionique représentant le cortège des Panathénées, ainsi que la statue chryséléphantine d'Athéna qui se dressait à l'intérieur du Parthénon. Grâce à ses colonnes

effilées et à ses surfaces courbes, le temple d'Athéna Parthénos donnait davantage l'impression d'une sculpture que d'une simple oeuvre architecturale. De 421 à 406 av. J.-C., on construisit, au nord du Parthénon, l'Erechthéion, curieux temple ionique dédié à des divinités reliées au passé d'Athènes. Sur sa façade sud se dressaient les Caryatides, statues de corês faisant fonction de piliers, qui donnaient à l'édifice originalité et grâce. L'espace libre entre les temples était occupé par de nombreuses statues, ex-voto offerts par les fidèles. Sur le versant sud de l'Acropole se trouvait le sanctuaire de Dionysos, avec le théâtre où furent jouées pour la première fois les oeuvres des grands dramaturges de l'antiquité. Du temps de Paul, le théâtre de Dionysos, détruit par Sylla, devait être en cours de reconstruction. Le fameux Odéon de Périclès, qui se trouvait à côté du théâtre de Dionysos et avait subi le même sort, devait déjà avoir été reconstruit lors de la visite de Paul. On pouvait également voir dans cette région le sanctuaire du dieu-médecin Asclépios, de la fin du Ve S. av. J.-C., et le portique érigé au IIe s. av. J.-C. par Eumène II, roi de Pergame. L'Odéon d'Hérode Atticus, qui est resté jusqu'à nos jours un lieu «vivant» grâce au Festival d'Athènes, n'avait pas encore été construit (IIe s. apr. J.-C.). Nulle

94. Athènes, l'Agora romaine, Ier s. avant J.-C. A droite: la mosquée Fetihé, XVIe s. après J.-C.
95. Athènes, le temple d'Héphaistos (450-421/415 avant J.-C.), erigé sur le site de l'ancienne Agora

part il n'est fait allusion à une éventuelle visite de l'Acropole, mais Paul eut certainement un contact optique avec ses monuments, puisque le Rocher Sacré dominait le centre d'Athènes.

Le spectacle des murailles en ruines depuis 86 av. J.-C. devait être impressionnant pour quiconque approchait d'Athènes. Nous ignorons par quelle porte Paul pénétra dans la ville, mais le plus probable est qu'il passa par l'entrée centra-

le, sur le côté N.O., là où se trouvaient la Porte Sacrée et le Dipylon. C'est dans cette région, appelée Céramique (Kéramikos), que s'étendait le cimetière athénien comprenant des tombes de simples particuliers et de guerriers morts au champ d'honneur. Son aspect devait en imposer à tous les passants tout au long des siècles où il fut utilisé, car les sépultures étaient ornées de statues et de stèles qui étaient de véritables chefs-d'oeuvre.

Une route centrale, le «Dromos», qui franchissait le Dipylon, conduisait à l'Agora, puis, sous le nom de «chemin des Panathénées», aboutissait à l'Acropole. L'Agora constituait le centre politique, administratif, commercial et religieux de la ville. Les «Actes des apôtres» rapportent avec certitude que Paul visita l'Agora et se mit en colère à la vue des splendides édifices et des statues de la religion grecque antique. Sur le côté O. du site, il vit sans aucun doute le Portique Basileios (VIe s. av. J.-C.), siège de l'archonte-roi, le portique de Zeus (Ve s. av. J.-C.) et la statue de Zeus, le temple ionique d'Apollon Patrôos et la statue d'Apollon, oeuvre du sculpteur Euphranor (IVe s. av. J.-C.)., le Métrôon, qui abritait un sanctuaire de la mère des dieux Rhéa-Cybèle et les archives de la ville (IIe s. av. J.-C.), le Bouleutérion (fin du Ve s.av. J.-C.) et la Tholos, bâtiment circulaire à fonction administrative et très probablement cultuelle (Ve s. av. J.-C.). Le temple monumental d'Héphaistos et d'Athéna Ergané (protecteurs des artisans), construit au milieu du Ve. s. av. J.-C. sur la colline de Kolonos Agoraios, ne dut pas

échapper à l'attention de Paul. C'était un temple périptère dorique, décoré de remarquables compositions sculptées inspirées de sujets mythologiques. Il abritait les statues des deux divinités, oeuvres du sculpteur Alcamène. Sur la place triangu-

96. (en haut) Athènes, le théâtre de Dionysos (IVe s. avant J.-C.) tel qu'il a été reconstruit à l'epoque romaine

96. (en bas) Athènes, les Propylées (437-432 avant J.-C.) et le temple d'Athéna Niké (427-424 avant J.-C.) sur l'Acropole

97. Athènes, l'Erechthéion sur l'Acropole, 421-414 avant J.-C.

laire de l'Agora se dressaient le Péribole (Enclos) des Héros Eponymes, avec les statues des héros qui avaient donné leurs noms aux dix tribus de l'Attique (milieu du IVe s. av. J.-C.), un temple dorique consacré au dieu Arès (Ve s. av. J.-C.), un autel dédié aux Douze Dieux (522/1 av. J.-C.) et l'Odéon érigé par Agrippa, gendre d'Auguste. Parmi les innombrables statues érigées entre les bâtiments, les plus remarquables étaient le groupe de la Paix et de Pluton, oeuvre du sculpteur

Céphisodote (IVe s. av. J.-C.) et deux groupes représentant Harmodios et Aristogeiton, qui avaient assassiné, en 514 av. J.-C., le tyran Hipparque. Le plus ancien (VIe s. av. J.-C.) était dû au sculpteur Anténor et le plus récent à Critios et à Nésiotès (début du Ve s. av. J.-C.). Le côté sud de l'Agora était occupé par deux portiques du IIe s. av. J.-C., par le bâtiment de l'Héliée (VIe s. av. J.-C.), le tribunal athénien le plus important, et par la fontaine Ennéakrounos («à neuf bouches»), de l'époque de Pisistrate. A l'est, le site était dominé par le Portique d'Attale, construit en 150 av. J.-C. par Attale II, roi de Pergame, et qui sert aujourd'hui de musée de l'Ancienne Agora. Devant ce portique, on remarquait une tribune pour les orateurs («bêma») et une statue en bronze d'Attale II.

L'édifice le plus septentrional de l'Agora était le Portique Poécile, dont on peut voir aujourd'hui les fondations à l'extérieur de l'enceinte du site archéologique. Erigé vers 460 av. J.-C., il était décoré d'oeuvres de peintres célèbres, comme Polygnote et Panainos. C'est là, qu'à partir du IIIe s. av. J.-C., se réunissaient les adeptes du philosophe Zénon, appelés stoïciens –du mot grec «stoa», qui signifie portique. Dans les «Actes des apôtres», il est rapporté que Paul causa avec les philosophes d'Athènes et on peut penser que cette discussion eut lieu au portique Poécile. «Quelques philosophes épicuriens et stoïciens conféraient aussi avec lui. Les uns disaient: «Que veut dire ce discoureur? Et d'autres: «Il semble annoncer des divinités étrangères...» – car Paul leur annonçait Jésus et la résurrection» (Actes 17, 18).

Bien que les Athéniens ne parussent pas tout d'abord comprendre tout ce que Paul leur disait, ils étaient néanmoins disposés à écouter avec intérêt les arguments sur lesquels il s'appuyait. «Ils le prirent avec eux et le menèrent à l'Aréopage, en lui disant: «Pourrions-nous connaître quelle est cette nouvelle doctrine que tu enseignes? Car tu nous fais entendre des choses étranges.

98. (à gauche) Athènes, partie du temple d'Héphaistos. Dans le fond: l'Acropole

98. (à droite) Athènes, l'Horloge d'Andronikos Kyrrestès (Tour des Vents) près de l'Agora romaine, Ier s. après J.-C.

99. Athènes, le portique d'Attale II (159-138 avant J.-C.), aujourd'hui le Musée de l'Agora

Nous aimerions bien savoir ce que cela veut dire». Or, tous les Athéniens, aussi bien que les étrangers qui séjournaient à Athènes, étaient occupés uniquement à colporter ou à écouter les nouvelles» (Actes 17, 19-21). Athènes était la ville où la philosophie et la rhétorique avaient connu leur apogée. Même si cette époque était alors révolue, le besoin qu'avaient les Athéniens de se tenir au courant de toutes les nouvelles théories et d'en discuter était toujours aussi vif. Aussi conduisirent-ils Paul à l'Aréopage, où il pourrait leur exposer en détail sa prédication. L'Aréopage est une colline rocheuse et basse à l'ouest de l'Acropole, appelée ainsi parce que, selon la légende, c'est là qu'aurait été jugé le dieu Arès, ou bien parce que c'était là que se trouvait le sanctuaire des Arènes ou Erinyes, divinités qui pourchassaient les criminels. Au VIIc s. av. J.-C., le nom d'Aréopage fut donné à un corps politique ayant des fonctions administratives et judiciaires et dont les compétences furent limitées au Ve s. av. J.-C. au jugement de cas de meurtres. Le texte des «Actes des apôtres» n'explique pas clairement si Paul fut mené à la colline de l'Aréopage ou devant le corps judiciaire homonyme, qui aurait pu siéger en quelque autre endroit de la ville. Selon l'opinion prévalante, il se serait adressé aux Athéniens de la colline d'Arès, où, tous les ans, le 29 juin, une cérémonie religieuse honore la mémoire des apôtres Pierre et Paul.

L'authenticité du discours de Paul, tel qu'il est rapporté dans les «Actes des apôtres», a été mise en doute par plusieurs chercheurs. Selon eux, cette homélie ne serait pas un produit de la pensée de Paul, mais de Luc lui-même, qui avait une plus grande connaissance de la culture grecque. Cette théorie s'appuie sur le fait que le contenu du fameux discours aux Athéniens est inspiré de pensées de la philosophie grecque. Or, Paul connaissait assez bien cette philosophie et il aurait très bien pu y avoir recours pour se faire comprendre. Selon les «Actes des apôtres»: «Paul, se tenant au milieu de l'Aréopage, dit: «Athéniens, je vois qu'à tous égards vous êtes, si j'ose le dire, dévots à l'excès. Car, en parcourant votre ville, et en considérant les objets de votre culte, j'ai trouvé un autel portant cette inscription: «Au dieu inconnu». Eh bien, ce que vous honorez sans le connaître, je viens, moi, vous le révéler! Le Dieu qui a fait le monde, et tout ce qui s'y trouve, est le maître du ciel et de la terre, et par conséquent n'habite pas dans des temples bâtis par la main des hommes. Il ne saurait être servi par des mains humaines, comme s'il avait besoin de quoi que ce soit, puisque c'est lui qui donne à tous la vie, la respiration, toutes choses. Il a fait naître d'un seul homme tous les peuples répartis sur la surface de la terre, a délimité à l'avance leur durée ainsi que leurs domaines. Il a voulu qu'ils le cherchent et s'efforcent de le trouver à tâtons, bien qu'en réalité il ne soit pas loin de chacun de nous. Car c'est en lui que nous avons la vie, le mouvement et l'être, comme l'ont dit quelques-uns de vos poètes: c'est de sa race, en effet, que nous sommes! Puisque nous sommes de la race

de Dieu, nous ne devons pas croire que la divinité soit semblable à l'or, à l'argent ou à la pierre, sculptés par l'art et le génie de l'homme. Dieu, ne tenant pas compte de ces temps d'ignorance, invite maintenant tous les hommes, en tous lieux, à se repentir, parce qu'il a fixé un jour où il doit juger le monde avec justice, par l'Homme qu'il a établi pour cela; et il en a donné à tous une preuve certaine en le ressuscitant des morts». Quand ils entendirent parler de résurrection des morts, les uns se moquèrent, les autres dirent: «Nous t'entendrons là-dessus une autre fois». C'est ainsi que Paul se retira du milieu d'eux. Il y eut cependant quelques personnes qui se joignirent à lui et qui crurent: de ce nombre étaient Denys, membre de l'Aréopage, une femme nommée Damaris et d'autres encore avec eux» (Actes 17, 22-34).

L'autel du Dieu Inconnu auquel se réfère Paul n'a pas été trouvé jusqu'à ce jour au cours des fouilles effectuées sur le site de l'Agora. Cependant le périégète Pausanias, venant du Pirée, rencontra des autels dédiés aux Dieux Inconnus. Et nous savons par les sources qu'il existait dans la basse antiquité un culte des divinités inconnues ou de tous les dieux ensemble, dû surtout à la superstition de l'époque et à la crainte d'oublier quelque dieu.

La prédication de Paul à Athènes ne dut pas connaître le même succès que dans d'autres villes de Grèce. Les Athéniens l'écoutèrent avec scepticisme, parti-

101. (en haut) Athènes, vue de l'Aréopage, d'où Paul se serait adressé aux Athéniens

101. (en bas) Athènes, vue générale de l'ancienne Agora

culièrement lorsqu'il leur parla de la résur-rection des morts. Paul considérait com-me une faiblesse de la pensée grecque le fait qu'elle ne pouvait pas saisir ce message particulier du christianisme. Par ailleurs, toute la philosophie grecque était basée sur l'argumentation et sur les preuves irré-futables et tangibles. Cependant, bien que les Athéniens ne fussent pas d'accord avec ses idées, il ne semble pas qu'ils le pour-chassèrent ou l'arrêtèrent, comme cela avait été le cas dans d'autres régions. Le nombre des personnes qui se convertirent au christianisme était extrêmement faible. Les «Actes des apôtres» mentionnent seu-lement Damaris, dont nous ne savons rien d'autre, et Denys l'Aréopagite. La tradi-

tion veut que ce dernier ait été évêque d'Athènes et ait subi le martyre sous Do-mitien, à la fin du Ier s. apr. J.-C., rensei-gnements qui indiquent l'existence d'une communauté chrétienne à Athènes, en re-lation évidemment avec la visite de Paul. Mais rien de semblable n'est mentionné ni dans les «Actes des apôtres», ni dans les Epîtres. Denys l'Aréopagite est honoré comme saint patron de la ville d'Athènes. Sa mémoire est honorée le 3 octobre, tout particulièrement dans l'église qui lui a été consacrée dans le centre d'Athènes (rue Skoufa) et qui est décorée d'une mosaïque représentant Paul en train de prêcher à l'Aréopage.

On pense généralement qu'un long laps

de temps s'écoula jusqu'à ce que la religion chrétienne fût acceptée à Athènes. Au IIe s. de notre ère, la ville connut une deuxième période d'épanouissement grâce à la faveur que lui témoigna l'empereur Hadrien. C'est à celui-ci que l'on doit l'extension de la ville hors des anciennes limites et la construction d'un grand nombre de monuments importants, comme le temple de Zeus olympien dans la région de la rivière Ilissos, une bibliothèque luxueuse à proximité des agoras grecque et romaine, un aqueduc et un Nymphée, fontaine où étaient adorées les nymphes. Cependant les sources antiques citent les noms de certains Athéniens chrétiens du IIe s. apr. J.-C., parmi lesquels un certain Aristide, qui essaya de parler à Hadrien lui-même de la nouvel-

102. Athènes, l'église de Panagia (Sainte-Vierge) Gorgoépikoos où du St Eleuthérios, fin du XIIe s. aprés J.-C.
103. (en haut) Attique, l'église du monastère de Kaisariani, fin du XIe s. aprés J.-C.
103. (en bas) Athènes, l'église d'Agii Apostoli (Saints-Apôtres), erigée sur le site de l'ancienne Agora, fin du Xe s. aprés J.-C.

le religion. Parallèlement, la religion grecque antique subit un coup fatal au Ve

s., lorsque Théodose II interdit aux païens de pratiquer leurs cultes, puis un deuxième, lorsque Justinien ferma les écoles de philosophie en 529 apr. J.-C.

Le victoire du christianisme eut pour conséquence la transformation en églises chrétiennes de nombreux temples antiques d'Athènes.

Le Parthénon et l'Erechthéion prirent l'aspect de basiliques chrétiennes au VIe s., le temple d'Héphaistos, sur l'ancienne Agora, fut consacré à saint Georges au VIIe s., tandis que le théâtre de Dionysos et le sanctuaire d'Asclépios furent aménagés, au Ve s., pour recevoir deux basiliques. On construisit, à la même époque, de nouvelles églises du type de la basilique, comme la basilique de l'Iissos, consacrée à saint Léonide (Ve-VIe s.), la basilique de Saint-Nicolas, tout près de la précédente, et la basilique d'Anchesme, derrière l'église actuelle de St Denys l'Aréopagite. Après une période de décadence, l'art byzantin d'Athènes parvint à son apogée au cours de la période mésobyzantine (804-1204), lorsque furent construites de nombreuses églises chrétiennes, dont la plupart ont subsisté jusqu'à nos jours. Elles se caractérisent principalement par les proportions harmonieuses de leur coupole, dite athénienne, la sobriété de leurs murs extérieurs et leur maçonnerie à parement cloisonné.

Presque toutes les églises athéniennes sont du type dit de la croix incrite dans un carré, prévalant à cette époque. Les plus connues sont les églises Agios Nicolaos Ragavas à Plaka (1031-1050), Kapnikaréa (milieu du XIe s.), Agii Théodori (1065), l'église du monastère de Kaisariani (fin du XIe s.), Panagia Gorgoépikoos (XIIe s.), qui sert de chapelle à la métropole (cathédrale) d'Athènes, et Agii Apostoli (des Saints-Apôtres), érigée vers l'an 1000 sur le site de l'ancienne Agora et qui a la particularité d'avoir quatre absides. L'église de Sotira Likodimou (1030), (aujourd'hui église orthodoxe russe), et l'église du couvent de Daphni, célèbre pour son décor de mosaïques (fin du XIe s.), appartiennent au type dit octogonal.

Après la prise de Constantinople par les Francs, en 1204, Athènes revint en partage au seigneur bourguignon Otto de la Roche, puis, à partir du XIVe s., fut successivement occupée par les Catalans, par la famille florentine des Acciajuoli, par les Vénitiens et les Byzantins. En 1458, elle fut conquise par les Turcs, qui s'installèrent sur l'Acropole. En 1687, au cours de la guerre turco-vénitienne, elle fut bombardée et prise par l'amiral vénitien Francesco Morosini. En 1690, elle fut reconquise à nouveau par les Turcs, avant d'être définitivement libérée en 1833 et proclamée capitale de l'Etat grec. Une nouvelle ville fut alors construite sur les plans des architectes S.Cléanthis et Ed. Schaubert. Plu-

sieurs des édifices de style néo-classique de cette époque ont subsisté jusqu'à nos jours et donnent un aspect particulier à la mégapole moderne. Athènes, qui compte aujourd'hui une population de cinq millions d'habitants, est la capitale de la Grèce non seulement parce qu'elle est son centre géographique, mais aussi parce qu'elle est le pôle de ses activités les plus diverses.

104. Attique, le Pandocratora, mosaïque du monastère de Daphni, vers 1100 après J.-C.

105. (en haut) Athènes, le temple de Zeus Olympien, VIe s. avant J.-C. – IIe s. après J.-C.

105. (en bas) Athènes, le monument du chorège Lysicrates, dedié après sa victoire aux concours dramatiques de 334 avant J.-C.

CORINTHE

«Après cela, Paul étant parti d'Athènes, se rendit à Corinthe» (Actes 18, 1).

Nous ignorons si Paul se rendit à Corinthe par terre ou par mer. S'il choisit la voie maritime, le bateau dut traverser le golfe Saronique et jeter l'ancre dans le port de Kenchréai, à environ 9km au sud de Corinthe. Le trajet par la terre ferme était pour ainsi dire identique à l'itinéraire actuel. Paul dut sortir d'Athènes par la Porte Sacrée, au Céramique, et suivre la Voie Sacrée qui conduisait à Eleusis. Il passa ensuite par la Mégaride, en ayant sur sa gauche les côtes de l'île de Salamine, et, après avoir longé le golfe Saronique, il dut arriver à l'Isthme de Corinthe, porte du Péloponnèse.

De nos jours, le canal de Corinthe sépare le nome d'Attique du nome de Corinthie, mais, à l'époque de Paul, il n'avait pas encore été creusé, bien qu'à plusieurs reprises, dans le passé, son percement eût été décidé par les tyrans de la ville. En 67 apr. J.-C., sur décision de l'empereur Néron, des travaux avaient même été entrepris, mais ils ne furent jamais menés à terme. Ce n'est qu'en 1893 que fut réalisé cet ouvrage technique et qu'un canal, de six kilomètres de long, relia le golfe de Corinthe au golfe Saronique. Le problème de la communication entre les deux régions maritimes avait été néanmoins résolu d'une autre manière dans l'antiquité. De la côte du golfe Saronique à celle du golfe de Corinthe, les tyrans de Corinthe avaient construit une voie pavée, le fameux diolcos, sur lequel des chariots transportaient les bateaux d'une mer à l'autre. Cet ouvrage fut d'une importance énorme pour une ville comme Co-

106. Corinthe, chapiteau byzantin

107. Corinthe, le temple d'Apollon, vers 540 avant J.-C.

rinthe, qui devait sa richesse au commerce.

Corinthe fut habitée dès l'époque néolithique, vers le IVe millénaire av. J.-C. Le choix des premiers habitants fut certainement dicté par l'existence d'eau en abondance et par la configuration du sol: au sud de Corinthe se dressait le rocher de l'Acrocorinthe, forteresse naturelle qui fut plus tard l'acropole de la ville, tandis qu'à l'E. et au S. se trouvaient les ports de Léchaion et de Kenchréai, qui jouèrent un rôle important pour son essor. Par ailleurs, l'isthme, l'unique pont entre la Grèce continentale et le Péloponnèse, n'était pas loin. Aux temps préhistoriques, Corinthe fut l'une des villes les plus riches de la Grèce. Son premier roi historique fut Alétès, chef des Doriens qui arrivèrent dans la ré-

gion vers 1000 av. J.-C. Au VIIIe s. av. J.-C., Corinthe fonda les colonies de Corcyre (Corfou) et de Syracuse et devint la première puissance navale de la Grèce. En 657 av. J.-C., Cypsélos, avec l'aide des classes populaires, instaura un régime tyrannique, colonisa de nouvelles régions et encouragea les arts et les sciences, suivi plus tard par son fils Périandre, l'un des sept sages de l'antiquité. C'est sous les Cypsélides que furent organisés les Jeux Isthmiques, qui acquirent très rapidement un caractère panhellénique. Les «Isthmia»,

108. Corinthe, le diolcos, une voie pavée, sur laquelle des chariots transportaient les bateaux du golfe de Corinthe au golfe Saronique

109. Corinthe, le canal de Corinthe, creusé en 1893

qui se déroulaient tous les deux ans dans le sanctuaire de Poséidon à Isthmia, à l'est de Corinthe, comprenaient des concours d'athlétisme et des cérémonies religieuses. Les visiteurs du site archéologique d'Isth-

mia peuvent encore voir aujourd'hui les fondations du temple dorique de Poséidon, érigé à l'origine au VIIe s. av. J.-C., les ruines d'un théâtre, de deux stades des périodes classique et hellénistique, ainsi que d'un temple monoptère circulaire en l'honneur de Palémon-Melikertès, le légendaire fondateur des jeux Isthmiques.

En 580 av. J.-C., les Spartiates renversèrent la tyrannie des Cypsélides et soutinrent le parti aristocratique. La ville devint alors l'alliée de Sparte et l'un des membres les plus puissants de la Ligue du Péloponnèse. C'est vers 540 av. J.-C. que fut érigé le temple dorique d'Apollon qui domine aujourd'hui le site archéologique de Corinthe. Lors des guerre médiques, Corinthe se tint pratiquement à l'écart de toutes les batailles. Plus tard, affrontant la

puissance montante d'Athènes, elle fut le principal instigateur de la guerre du Péloponnèse (431-404 av. J.-C.). Bien qu'alliée de Sparte, qui avait remporté la victoire, elle perdit, à la fin des hostilités, sa place prépondérante sur la scène politique grecque. En 338 av. J.-C., elle fut soumise par Philippe II, qui, la même année, se fit couronner, sur l'isthme, général en chef et roi des Grecs. C'est également à cet endroit qu'Alexandre convoqua une assemblée panhellénique, au cours de laquelle lui fut conféré le titre de commandant en chef de l'expédition contre les Perses. En 243 av. J.-C., Corinthe adhéra à la ligue achéenne, dont elle devint plus tard la capitale. Après la défaite des armées achéennes par les Romains, en 146 av. J.-C., la ville fut pillée par le général Leucius

110. (en haut) Corinthe, la monumentale fontaine Pirène sur le site archéologique, IIe s. après J.-C.   110. (en bas) Corinthe, les magasins à l' Ouest, de l' epoque romaine
111. (en haut) Corinthe, vue de l' Agora romaine. Dans le fond: le temple d' Apollon, vers 540 avant J.-C.
111. (en bas) Corinthe, le temple romain d' Octavie, soeur d`Auguste

Mummius et un siècle s'écoula avant qu'elle ne renaisse de ses ruines. Elle fut reconstruite en 46 av. J.-C. par Jules César, qui en fit une colonie romaine, appelée Colonia Julia Corinthus Augusta. La nouvelle ville se développa très rapidement et, lors de la visite de Paul en 50/51 apr. J.-C., elle était devenue la capitale de la province romaine d'Achaïe. Au IIe s. de notre ère, elle s'embellit de bâtiments somptueux grâce aux dons de l'empereur Hadrien et d'Hérode Atticus. Sur le site archéologique de

112. (en haut) Corinthe, bas-relief byzantin

112. (en bas) Corinthe, vue du site archéologique. Dans le fond: l'Acrocorinthe

113. Corinthe, la tribune (bêma) de Gallion, le tribunal où Apôtre Paul a été amené pendant sa visite à Corinthe

Corinthe on peut voir aujourd'hui les ruines des édifices de l'agora romaine (forum), dont plusieurs existaient du temps de l'apôtre Paul. Parmi les plus importants, il faut citer: le temple d'Octavie, soeur d'Auguste, une série de petits temples se dressant sur un haut soubassement, de nombreux magasins, la Basilique Julienne, de l'époque d'Auguste, la monumentale fontaine Pirène, don d'Hérode Atticus, la Basilique du Nord, à la façade décorée de statues colossales de Barbares, un odéon et un théâtre datant, sous leur forme première, du IVe s. av. J.-C. Quant à l'imposant temple d'Apollon, qui domine le site, il est bien évident qu'il ne put échapper à l'attention de Paul.

A l'époque byzantine, Corinthe fut la cible d'innombrables envahisseurs, dont les premiers furent les Goths, qui ravagèrent la ville en 267 et en 295 apr. J.-C. Au milieu du Ve s., on érigea dans les environs de la ville un important monument paléochrétien: la basilique de Léchaion, consacrée à saint Léonide et aux femmes qui subirent le martyre avec lui. Au VIe s., l'empereur Justinien fortifia la région en construisant le célèbre rempart qui renforçait l'isthme, l'Examilio, d'une longueur de 7.300 mètres. L'Acrocorinthe, où, dans l'antiquité, était adorée la déesse Aphrodite, joua un rôle important, au Moyen Age, pour la défense de Corinthe, ce qui n'empêcha pas celle-ci de connaître de nombreux conquérants: Normands, Francs, Vénitiens et Turcs (1458). A la fin de la guerre d'Indépendance de 1821, la ville fut libérée et revendiqua, sans succès, l'honneur de devenir la capitale du nouvel Etat grec. En 1858, un grand tremblement de terre détruisit la petite localité qui existait sur l'emplacement de l'ancienne Corinthe. On construisit, plus près de l'isthme, une nouvelle ville, qui dut être reconstruite en 1929, après un autre séisme catastrophique.

Bien qu'à l'ère chrétienne Corinthe ne connût ni la prospérité d'autres villes grecques, ni un développement important de la construction, comme le montre l'ab-

sence d'églises byzantines, elle fut néanmoins l'une des premières à embrasser le christianisme. Immédiatement après la visite de Paul, on vit naître à Corinthe une communauté chrétienne parmi les plus nombreuses et les plus dynamiques, qui faisait sa fierté. «J'ai en vous une entière confiance; j'ai tout sujet de me glorifier à votre égard; je suis rempli de consolation; je suis comblé de joie au milieu de toutes nos afflictions» (II Corinthiens 7, 4). Bien entendu, les premiers jours de son séjour dans la ville, rien ne laissait prévoir cette évolution. «A Corinthe, il trouva un juif, nommé Aquilas, originaire du Pont, récemment arrivé d'Italie avec Priscille, sa femme, parce que Claude avait ordonné à tous les Juifs de s'éloigner de Rome; et il se joignit à eux. Et, comme Paul exerçait le même métier, il demeura chez eux, et ils travaillaient ensemble; or, leur métier était de faire des tentes. Paul parlait dans la synagogue tous les jours de sabbat, et il persuadait les Juifs et les Grecs. Quand Silas et Timothée arrivèrent de Macédoine, Paul se

donnait de toute son âme à la prédication, il attestait aux Juifs que Jésus était le Christ. Mais, comme ils s'opposaient à lui et l'injuriaient, il secoua ses vêtements et leur dit: «Que votre sang retombe sur votre tête! Pour moi, j'en suis net: dès maintenant, j'irai vers les païens». Etant parti de là, il entra chez un certain Titius Justus, homme craignant Dieu et dont la maison touchait à la synagogue. Cependant Crispus, le chef de la synagogue, crut au Seigneur avec toute sa maison; et plusieurs des Corinthiens, ayant entendu Paul, crurent aussi et furent baptisés. Le Seigneur dit à Paul pendant la nuit, dans une vision: «Je suis avec toi, et personne ne mettra la main sur toi pour te faire du mal; car j'ai un grand peuple dans cette ville». Paul demeura là un an et six mois, enseignant parmi eux la parole de Dieu» (Actes 18, 2-11).

Les premières personnes avec lesquelles

114. Corinthe, inscription de marbre provenant de la porte centrale d'une synagogue juive
115. Corinthe, l'inscription latine d'Eraste

Paul entra en contact à Corinthe étaient Aquilas et Priscille, qui, parce qu'ils étaient juifs, avaient été chassés de Rome. Nous ignorons s'ils s'étaient déjà convertis au christianisme ou s'ils le firent après avoir rencontré Paul. Quoi qu'il en soit, ils furent liés par une longue amitié, puisque non seulement ils l'hébergèrent, mais devinrent également ses collaborateurs. Sur ce point, la relation faite dans les «Actes des apôtres» est particulièrement importante, car elle nous offre un élément supplémentaire concernant les activités de Paul. Le métier qu'il exerçait avec fierté au cours de ses missions, afin de n'être à la charge de personne, était la fabrication de tentes. L'atelier d'Aquilas et de Priscille se trouvait vraisemblablement sur l'agora de la ville, où étaient concen-

trées plusieurs activités marchandes.

Un deuxième renseignement, provenant du même passage, est le retour de Silas et de Timothée, que Paul avait cherchés lorsqu'il était à Athènes. Les deux apôtres, qui arrivaient de Thessalonique, le mirent au courant de la situation de l'Eglise dans cette ville et c'est alors que Paul écrivit la première Epître aux Thessaloniciens, qu'il leur fit parvenir par Timothée. La deuxième Epître adressée à cette Eglise fut envoyée quelques semaines plus tard.

Parallèlement, Paul continuait son enseignement à la synagogue de Corinthe, sans cependant obtenir les résultats escomptés. Une fois de plus exaspéré, il décida d'approcher les païens, espérant qu'ils feraient preuve de plus de compréhension. Le fait, toutefois, que le chef de la synagogue s'était

converti avec toute sa famille aurait pu être considéré comme un grand succès. Grâce aux Epîtres de Paul nous connaissons beaucoup d'autres noms de Corinthiens qui crurent en Jésus-Christ, à part Aquilas, Priscille, Crispus et Justus. L'un d'entre eux présente un intérêt particulier, car son existence a été confirmée par les fouilles archéologiques. Plus précisément, on a découvert, au nord de l'agora romaine de Corinthe, l'inscription latine: ERASTVS PRO AEDILITATE S P STRAVIT, signifiant; «Erigé aux frais d'Eraste à l'époque où il avait la dignité de trésorier». Dans l'Epître aux Romains, rédigée à Corinthe au cours du troisième séjour de Paul, en 57/58, il est fait une nette allusion à ce personnage: «Eraste, le trésorier de la ville, vous salue» (Romains 16, 23). Il semble donc que sa prédication ait eu une influence même sur des personnes ayant des dignités publiques, comme le trésorier, qui était responsable principalement des bâtiments et des spectacles publics.

Paul resta à Corinthe un an et six mois, travaillant et enseignant en même temps, mais il fut souvent déçu des réactions de ses auditeurs. Toutefois, une nouvelle apparition du Christ dans ses songes, l'encourageant à persévérer dans son oeuvre, sans céder devant les épreuves, lui redonna la force psychique pour affronter une nouvelle persécution. «Alors que Gallion était proconsul de l'Achaïe, les Juifs, d'un com-

116. Léchaion, la basilique de St Leonides, vers 460 après J.-C.

117. Léchaion, vue du site où se trouve la basilique de St Leonides

mun accord, s'élevèrent contre Paul et l'amenèrent au tribunal. «Cet homme, dirent-ils, excite les gens à adorer Dieu d'une manière contraire à la loi. «Paul ouvrait la bouche pour répondre, quand Gallion dit aux Juifs: «S'il s'agissait, ô Juifs, de quelque injustice ou de quelque crime, je vous écouterais patiemment, comme de raison. Mais, puisqu'il s'agit de discussions sur une doctrine, sur des noms et sur votre loi particulière, voyez cela vous-mêmes; je ne veux pas être juge en cette affaire». Puis il les renvoya au tribunal. Alors tous se saisirent de Sosthènes, le chef de la synagogue, et le rouèrent de coups devant le tribunal; mais Gallion ne s'en soucia point. Paul resta encore quelque temps à Corinthe. Il prit ensuite congé des frères et s'embarqua pour la Syrie avec Priscille et Aquilas, après s'être fait raser la tête à Cenchrées; car il avait fait un voeu» (Actes 18, 12-18).

Junius Gallion, fils de Leucius Sénèque et frère du célèbre philosophe Sénèque, avait été adopté à Rome par l'orateur Lucius Junius Gallion, dont il avait pris le nom. Proconsul de l'Achaïe lors de la visite de Paul, il aurait été tué, sur l'ordre de Néron, en 65 apr. J.-C., ou bien il se serait suicidé. Son attitude lors de l'accusation portée par les Juifs contre Paul fut modérée et semblable à celle de plusieurs dignitaires romains, qui préféraient ne pas se mêler des affaires religieuses des Juifs. Le lieu où siégeait Gallion a été identifié avec la tribune (bêma) de l'agora romaine de Corinthe, située au sud de la place et encadrée de nombreux magasins. Il subsiste aujourd'hui des vestiges de la tribune sous les fondations d'une petite église érigée à cet endroit au Xe s.

Après avoir quitté Corinthe, Paul arriva au port de Kenchréai (Cenchrées), non loin du village actuel de Kechriès. Là, il coupa ses cheveux pour les offrir à Dieu, selon une coutume juive. Une communauté chrétienne, dont la diaconesse était une femme du nom de Phébé, s'était développée très tôt à Kenchréai. «Je vous recommande Phébé, notre soeur, qui est diaconesse de l'Eglise de Cenchrées. Ayez soin de l'accueillir en notre Seigneur, d'une manière digne des saints, et de l'assister dans toutes les occasions où elle pourrait avoir besoin de vous; car elle-même en a assisté plusieurs, et moi en particulier» (Romains 16, 1-2). Les fouilles archéologiques effectuées dans la région ont dégagé partiellement le port et ses bâtiments, en grande partie sous l'eau. Tout près du port, on a découvert les ruines d'une petite basilique paléochrétienne, érigée sur l'emplacement d'un sanctuaire romain consacré à Isis.

Au cours de son troisième voyage et de son séjour à Ephèse, en 55 apr. J.-C., Paul apprit que différents problèmes et discordes étaient survenus dans l'Eglise de Corinthe. C'est alors qu'il chargea Timothée de remettre aux Corinthiens sa première Epître, où il leur reprochait leur comportement inconvenant. Parallèlement, il exposait ses points de vue sur différents sujets de la morale chrétienne. Un peu plus tard, il se rendit pour la deuxième

119. Kenchréai, vue du port ancien avec les ruines d'une petite basilique paléochrétienne

fois à Corinthe, afin de contrôler lui-même la situation, bien qu'il eût entretemps reçu des nouvelles par Timothée. Après cette courte visite, il retourna à Ephèse, avant de se diriger vers les villes de la Macédoine. Ayant appris par Tite, alors qu'il se trouvait à Philippes, que les problèmes des Corinthiens avaient commencé à se résoudre, il leur envoya la seconde Epître, dans laquelle il les exhortait à faire une collecte en faveur de l'Eglise de Jérusalem. Plus tard, après avoir recueilli aussi des dons en Macédoine, il effectua un troisième voyage à Corinthe, en 57/58 apr. J.-C. Il avait décidé de rentrer en Syrie en bateau, mais, apprenant que quelques Juifs avaient projeté de le tuer, il préféra voyager par la terre ferme, via la Macédoine.

Il y a, dans la ville moderne de Corinthe, une église chrétienne consacrée à la mémoire de l'apôtre Paul, inaugurée en 1934 par l'archevêque Damaskinos (rue Agiou Pavlou). En face exactement de cette église se trouve un musée qui abrite des spécimens intéressants d'art sacré.

LA FIN DE LA DEUXIÈME MISSION

Parti du port de Kenchréai, Paul traversa la mer Egée et accosta à Ephèse, en Asie Mineure. Laissant là Aquilas et Priscille, il se mit en route pour Césarée et, après être passé par Jérusalem, il arriva à Antioche. Ce fut son dernier passage dans cette ville, point de départ de ses missions apostoliques.

120-121. (en haut) Corinthe, l' Acrocorinthe, l' acropole de la ville ancienne et médiévale

120. (en bas) Corinthe, vue de l' Acrocorinthe

121. (en bas) Corinthe, l' église d' Apôtre Paul dans la ville contemporaine

TROISIÈME MISSION

L a troisième mission apostolique de Paul partit d'Antioche en 52 apr. J.-C. et s'acheva vraisemblablement en 58 apr. J.-C. Les premières villes qui accueillirent son enseignement furent celles de Galatie et de Phrygie. Pendant le séjour qu'il y fit, il semble avoir été atteint d'une grave maladie dont nous ignorons la nature. «Vous savez que ce fut dans l'infirmité de la chair que je vous annonçai pour la première fois l'Evangile; et, malgré l'épreuve que vous causait cette infirmité de ma chair, vous ne m'avez ni méprisé, ni repoussé, mais vous m'avez reçu comme un ange de Dieu, comme Jésus-Christ même» (Galates 4, 13-14).

Après avoir surmonté le danger, il arriva à Ephèse, où il fut incarcéré. C'est de là qu'il envoya aux Corinthiens sa première Epître et il est très probable qu'il visita leur ville pendant un bref laps de temps. De retour à Ephèse, il écrivit l'Epître aux Galates. Il se rendit ensuite en Macédoine et adressa, de Philippes, sa deuxième Epître à Corinthe, peu avant de s'y rendre lui-même une troisième fois. C'est pendant ce séjour qu'il rédigea l'Epître aux Romains, qu'il expédia du port de Kenchréai, alors qu'il s'apprêtait à s'embarquer. Mais les projets criminels des Juifs l'obligèrent à rentrer par la Macédoine. Il voyagea donc par la route jusqu'à Néapoli, passa en bateau en Troade et continua en direction d'Assos.

122. Chapiteau byzantine decoré en relief

123. Ephèse, vue du site archéologique. Dans le fond: la librairie de Celsus (à gauche)

MYTILÈNE
CHIO - SAMOS

«Pour nous, ayant pris les devants, nous fîmes voile vers Assos, où nous devions rejoindre Paul; il l'avait ainsi décidé, parce qu'il voulait faire le chemin à pied. Quand il nous eut rejoints à Assos, nous le prîmes avec nous, et nous allâmes à Mytilène. Puis, étant partis de là, toujours par mer, nous arrivions le lendemain vis-à-vis de Chio. Le jour suivant, nous touchions à Samos» (Actes 20, 13-15).

Comme il ressort du passage ci-dessus, Luc rencontra à nouveau Paul et ses compagnons et était présent à Mytilène, à Chio et à Samos. Outre les renseignements que leur séjour dura en tout trois jours, rien d'autre ne nous est connu sur ces îles. Toutefois la tradition rapporte que le bateau de Paul, en arrivant à Mytilène, jeta l'ancre dans le golfe de Kalloni, au sud, là où une

124. Mytilène, vue du village de Molyvos   125. Mytilène, l'église de St Thérapon, 1860

petite église a été érigée en son honneur au bord de la mer, dans le village de Vassilika.

Mytilène ou Lesbos, la troisième grande île de la Grèce, se trouve dans la partie N.E. de la mer Egée, à proximité des côtes de l'Asie Mineure. Les premiers habitants, qui s'installèrent dans la région de Thermi vers le IVe millénaire av. J.-C., devaient très probablement être reliés au colonisateur Makaras, mentionné dans la mythologie. Au cours du IIe millénaire av. J.-C., l'île fut habitée successivement par les Pélasges, les Achéens et finalement par les Eoliens qui prédominèrent, mirent sur pied une flotte puissante et fondèrent des colonies en Thrace et en Asie Mineure. Aux VIIe et VIe siècles av. J.-C., Lesbos joua un rôle de précurseur dans l'évolution de la civilisation grecque en stimulant les arts et les lettres. C'est dans cette île que naquirent Pittacos, l'un des sept sages de l'antiquité, et les poètes Alcée, Sappho, Terpandre et Arion, qui jetèrent les bases de la poésie lyrique.

Soumise par les Perses de 492 à 479 av. J.-C., Lesbos s'allia ensuite aux Athéniens. Mais, en 428 av. J.-C., elle fut sévèrement châtiée pour avoir quitté l'alliance athénienne et elle fut partagée en lots, distribués à des Athéniens. Les Lesbiens prirent une part active à l'expédition d'Alexandre le Grand et, à sa mort, passèrent sous la domination des Ptolémées, avant d'être soumis par les Romains, en 88 av. J.-C. A l'époque byzantine, Lesbos fut une éparchie byzantine jusqu'à ce qu'elle fût donnée en dot au chef génois Francesco Gateluzzo (1355) et devint un important centre commercial et économique de la mer Egée du Nord. Prise par les Turcs en 1462, elle acquit sa liberté en 1912. De nos jours, Mytilène est une île verdoyante et pittoresque, présentant de nombreux attraits touristiques. Sa capitale, la ville de Mytilène (Mitilini), s'enorgueillit d'une forteresse byzantine remaniée par les Vénitiens, de belles vieilles demeures du XIXe s., d'un théâtre d'époque hellénistique, de l'église moderne St Raphaël, à Thermi, et d'un musée consacré au peintre naïf Théophilos, à Varia. Dans le reste de l'île, il vaut la peine de visiter les petits villages de pêcheurs, la bourgade de Molyvos, dominée par le château des Gateluzzi, Agiassos et son église de la Panagia, considérée comme la Jérusalem locale, ainsi que Sigri, avec sa forêt pétrifiée datant de quelques millions d'années.

Chio, bien que toute proche, présente une image différente. Cette île rocheuse, située au sud de Mytilène, s'appelait, dans l'antiquité, Makris et Ophioussa. Ses premiers habitants furent des Lélèges et des Pélasges, tandis qu'aux temps historiques elle fut colonisée par des Ioniens d'Attique. A la période classique, après avoir été momentanément occupée par les Perses (499-479 av. J.-C.), elle s'allia à Athènes, tout en voulant cependant se libérer très vite de son hégémonie. En 355 av. J.-C., après de longs conflits avec les Athéniens, les habitants de Chio recouvrèrent leur indépendance. En 331 av. J.-C., l'île fut occupée par les Macédoniens, avant d'être proclamée par les Romains, en 84 av. J.-C., «alliée libre» de l'Empire. Quelques années après la visite de Paul, son indépendance fut abolie et elle fit partie de la province romaine des îles

grecques (70 apr. J.-C.). A l'époque byzantine, Chio souffrit pendant plusieurs siècles
des incursions de pirates sarrasins (VIIe -
XIe s.), jusqu'à ce qu'elle fût protégée de
puissantes fortifications, au XIe siècle. Elle
connut ensuite un essor important et devint le siège du thème de Chio. C'est à cette
époque que fut érigé le monument byzantin le plus important de l'île, le monastère
de Néa Moni, dont l'église, de plan octogonal et décorée de superbes mosaïques, fut
construite (1043-1055) aux frais de l'empereur Constantin le Monomaque. En 1346,
Chio tomba aux mains des Génois et resta

sous leur tutelle jusqu'à sa prise par les

127. Chio, des moulins à vent dans un port de l' île

Turcs, en 1566. C'est au cours de la période
génoise que se développèrent, dans le sud
de l'île, les «mastichochoria» (villages du
«mastic»), dont l'économie était basée sur la
production du mastic (gomme aroma-
tique), dont Chio a jusqu'à nos jours l'ex-
clusivité. Ces villages médiévaux fortifiés,
encore habités de nos jours, nous donnent
une image très nette de l'architecture de
cette époque. C'est à la production du
mastic que l'île doit d'avoir joui de privi-

≪ 127 ≫

mastic que l'île doit d'avoir joui de privi-lèges sous l'occupation turque et connu un essor commercial et industriel. En 1822, pendant les années de la guerre d'Indépendance, la population de Chio fut décimée par les Turcs. L'île fut finalement rattachée à la Grèce en 1912.

Au sud de Chio se trouve l'île de Samos, qui, au cours de son histoire, fut l'un des grands centres d'évolutions politiques et culturelles. Les côtes S.E. de l'île furent habitées pour la première fois au IVe millénaire av. J.-C., à l'endroit où se développa, aux temps historiques, la ville de Samos. Les Grecs s'imposèrent dans la région au IIe millénaire av. J.-C., après en avoir chassé les anciens habitants, principalement des Cares et des Lélèges. C'est vers 900 av. J.-C. que s'installèrent les premiers colons ioniens, auxquels est dû le grand essor que connut l'île. Dès le IXe et le VIIIe s. av. J.-C., tous les arts, où les tendances attiques se mêlaient à celles des villes grecques d'Asie Mineure, présentèrent un épanouissement remarquable. Le plus ancien temple d'Héra, la déesse tutélaire de

Samos, adorée dans un sanctuaire depuis le Xe s. av. J.-C., fut érigé au VIIIe ou au VIIe s. av. J.-C. Plusieurs nouveaux temples furent construits en son honneur jusqu'au VIe s., les plus remarquables étant le temple de Rhoïkos et de Theodoros (570-560 av. J.-C.) et celui de Polycrate (vers 525 av. J.-C.). Rhoïkos et Théodoros étaient à la fois des architectes et des métallurgistes de génie, qui contribuèrent, avec le temple d'Héra à Samos, à la naissance de l'ordre ionique. Polycrate, qui fut tyran de l'île de 532 à 522 av. J.-C., fit construire le plus vaste temple grec pour faire étalage de puissance et de richesse. Sous son règne, d'importants travaux publics furent entrepris dans l'île, qui jouissait d'une très grande prospérité. C'est au VIe s. av. J.-C. que naquit, à Samos, le célèbre philosophe et mathématicien Pythagore, dont le village actuel de Pythagorion rappelle le nom.

Jusqu'à sa conquête par les Romains, en 131 av. J.-C., Samos fut soumise par les Perses et tomba sous l'influence d'Athènes, de Sparte et des rois macédoniens. A la période byzantine, elle souffrit des invasions des Goths, des Huns, des Alains et des pirates sarrasins, avant de tomber aux mains des Latins et des Génois. Après la prise de Constantinople, en 1453, elle fut désertée et ce n'est qu'à partir de 1562 qu'elle commença à se repeupler, alors qu'elle se trouvait sous la domination turque. Après avoir obtenu son autonomie en 1832, elle fut finalement rattachée à la Grèce en 1912.

128. Samos, vue du village de Pythagorion

129. Samos, la seule colonne debout du temple ionique d'Héra, oeuvre de tyran Polycrate dans le sanctuaire d'Héra (Héraion), vers 525 avant J.-C.

COS - RHODES

Paul débarqua ensuite à Milet et, après s'être informé auprès de ses représentants de la situation qui régnait à Ephèse, partit pour Cos et Rhodes (Actes 21,1). Cos, qui fait partie aujourd'hui de l'archipel du Dodécanèse, se trouve dans le sud de la mer Egée, tout près des côtes de l'Asie Mineure. Les premiers colons grecs de l'île furent les Pélasges, auxquels succédèrent les Achéens et les Doriens. Ces derniers, qui prédominèrent dans la région, fondèrent au VIIe s. av. J.-C., une confédération de six cités, l'Hexapole dorienne, à laquelle adhéra Cos. A la fin des guerres médiques, l'île devint membre de la Ligue délienne et combattit aux côtés d'Athènes pendant la guerre du Péloponnèse. C'est à Cos que naquit, au milieu du Ve s. av. J.-C., Hippocrate, le célèbre médecin qui, selon la légende, descendait du dieu-médecin Asclépios. Ce dernier fut adoré très tôt dans l'île, mais ce n'est qu'à partir du IVe s. av. J.-C. que l'on commança à construire en son honneur un sanctuaire, qui connut une très grande renommée au cours des deux siècles suivants. L'Asclépieion de Cos, comme d'ailleurs tous les «asclépieia» grecs, n'était pas seulement un centre religieux, mais aussi une sorte de centre thérapeutique, où les malades guérissaient pendant leur sommeil grâce à l'intervention d'Asclépios. A l'époque hellénistique, Cos fut l'une des forces navales les plus puissantes de la Méditerranée orientale. Conquise par les Romains en 82 av. J.-C., elle commença bientôt à décliner. A l'époque byzantine, elle dut faire front aux invasions des Slaves, des Bulgares, des pirates sarrasins, des Génois, des Vénitiens et des Chevaliers de Saint-Jean. En 1522, elle fut occupée par les Turcs, auxquels succédèrent les Italiens, en 1912. Elle fut finalement rattachée à l'Etat hellénique en 1948.

La tradition locale veut que Paul ait prêché à Cos sous le platane dit d'Hippocrate, là où, raconte-t-on, aurait enseigné le célèbre médecin de l'antiquité.

De leur côté, les habitants de l'île de Rhodes pensent que Paul pénétra dans leur ville par la porte des remparts qui porte aujourd'hui son nom et qu'il accosta ensuite à Lindos, dans le sud de l'île. Il existait à Lindos, depuis les temps archaïques, un temple consacré à Athéna Lindia, qui fut remplacé, vers 330 av. J.-C., par un nouveau temple dorique. Au IIe s. av. J.-C., le sanctuaire d'Athéna, qui occupait le plus haut point de l'acropole de Lindos, s'enrichit de nouveaux édifices et devint le centre

religieux le plus important de l'île. Dans le petit port au pied de cette acropole, appelé port de Saint-Paul, une petite église remémore le passage de l'apôtre.

Rhodes est la plus grande des îles de l'archipel du Dodécanèse, dont la capitale est la ville de Rhodes. Elle fut habitée dès les temps préhistoriques et devint, au cours des siècles, l'un des plus grands centres d'échanges commerciaux de la Méditerranée. Au VIe s. av. J.-C., Lindos connut un essor particulier sous le règne du tyran Cleobule, l'un des sept sages de l'antiquité. En 408 av. J.-C., les trois grandes cités doriennes s'unirent pour fonder une nouvelle ville: Rhodes, qui devint rapidement très prospère. En 304/5 av. J.-C., les Rhodiens résistèrent avec courage au siège du Macédonien Démétrios Poliorcète et utilisèrent les trophées de la victoire pour ériger le fameux Colosse, une des sept merveilles du monde. C'était une statue de 30m. de haut, oeuvre du sculpteur Charès de Lindos. Dès le IIe s. av. J.-C., Rhodes prit le parti de Rome, mais, en 42 av. J.-C., elle fut détruite par Cassius, qui fit transporter de nombreuses oeuvres d'art dans la capitale romaine. A l'époque byzantine, elle fut à plusieurs reprises ravagée et pillée, notamment par les Arabes, avant de tomber, en 1309, sous la domination des chevaliers de Saint-Jean, qui l'embellirent d'édifices imposants, encore visibles de nos jours. Conquise par les Turcs en 1522, puis occupée par les Italiens en 1912, elle fut définitivement rattachée à la Grèce en 1948.

131. (en haut) Cos, le temple d'Apollon (IIe s. après J.-C.) à l'Asclépieion

131. (en bas à gauche) Cos, un odéon restauré dans la ville contemporaine, IIe s. après J.-C.

131. (en bas à droite) Cos, le platane dit d' Hippocrate, où, selon la tradition, Paul a prêché

132-133. (en haut) Rhodes, le petit port au pied de l' acropole de Lindos, appelé de Saint- Paul au memoir du passage de l' apôtre

132-133. (en bas) Rhodes, vue de Lindos. Dans le fond: l' acropole de Lindos   133. (en haut) Rhodes, vue de l' acropole de Lindos avec le temple d' Athéna, vers 330 avant J.-C.

133. (en bas) Rhodes, porte des remparts de la ville, par laquelle, selon la tradition, Paul pénétra la ville (porte d' Apôtre Paul)

CRÈTE

Du port de Rhodes, Paul gagna les côtes de l'Asie Mineure, d'où il se rendit en bateau à Tyr, en Syrie. De là, en passant par Ptolémaïs et Césarée, il arriva à Jérusalem, où les Juifs cherchèrent à le tuer. Mais le tribun qui l'arrêta lui donna le droit de se disculper. Lorsque le guet-apens tendu par les Juifs fut découvert, Paul fut emmené à Césarée, où, après qu'il se fut justifié devant les chefs romains de la région et devant Hérode Agrippa, roi de Syrie, il fut décidé de l'emmener à Rome. Ce voyage se fit en bateau, avec, pour premières escales, les villes de Sidon et de Myra, en Lycie. Mais les conditions atmosphériques étant déplorables, ils durent changer de route et c'est ainsi que Paul se retrouva sur la côte sud de la Crète.

La Crète, la plus grande île de la Grèce, est l'endroit où, selon la légende, serait né Zeus, le maître des dieux de l'Olympe. Habitée dès l'époque néolithique, elle réussit à dominer en Méditerranée à l'âge du Bronze et à créer la première civilisation européenne: la civilisation minoenne. La tradition raconte que la «thalassocratie» minoenne serait l'oeuvre de Minos, sage législateur et roi de l'île. Les fouilles des palais de Cnossos, de Phaestos, de Malia et de Zakros, ainsi que de nombreuses villas somptueuses et des bâtiments servant à des activités artisanales et commerciales, trahissent l'existence d'une civilisation avancée et d'un Etat parfaitement bien organisé. D'autre part, les objets trouvés au cours des fouilles, qui font la fierté aujourd'hui des musées de Crète, sont des témoignages irréfutables du niveau de vie élevé des Minoens et de leurs capacités artistiques. Les palais minoens furent détruits à deux reprises, en 1700 av. J.-C. et entre 1450 à 1380 av. J.-C. La deuxième catastrophe marqua la fin de l'extraordinaire apogée de la Crète et la montée continue des Mycéniens de la Grèce continentale. Entre 1100 et 900 av. J.-C. des conquérants doriens et achéens s'installèrent dans l'île, dont les vieilles cités furent désertées. Cependant, jusqu'au VIe s. av. J.-C., elles réussirent à nouveau à s'organiser et à connaître un nouvel essor dans le commerce et les arts, constituant le pont entre la Grèce et l'Orient. A l'époque classique, la Crète vécut en marge du reste de la Grèce et fut marquée par d'intenses querelles intestines, qui se perpétuèrent à l'époque hellénistique. En 69 av. J.-C., elle fut conquise par les Romains, qui lui assurèrent une période de prospérité et de paix. L'empereur Hadrien (IIe s. apr. J.-C.) lui porta même un intérêt particulier et embellit ses villes de magnifiques édifices. En 824 de notre ère, les Sarrasins l'arrachèrent à l'Empire byzantin, mais Nicéphore Phocas la libéra en 961. Vendue aux Vénitiens après 1024, elle fut ensuite conquise par les Turcs en 1669. Après avoir gagné son autonomie en 1898, elle fut finalement rattachée à la Grèce en 1913. Au cours de la seconde guerre mondiale, l'île se distingua par sa résistance héroïque et par ses exploits lors de la fameuse Bataille de Crète.

La Crète est aujourd'hui l'une des îles grecques les plus développées sur le plan touristique, et cela en raison de son riche passé historique, qui se marie harmonieusement à la beauté de sa nature.

L'été dure en Crète plus de trois mois, tandis que les journées ensoleillées s'étalent sur la majeure partie de l'année. Cependant, il y a toujours une certaine fraîcheur, même pendant la saison d'été, grâce au *meltemi,* un vent étésien qui tourne très souvent à l'orage, surtout dans le sud de l'île. Il semblerait que le navire de Paul ait, en approchant des rivages crétois, affronté une telle intempérie qu'il a été contraint de jeter l'ancre sur les côtes sud, dans la région de *Kala Liména* (Bons ports).

«Après avoir longé, non sans difficulté, les côtes de l'île de Crète, nous arrivâmes à un endroit appelé Bons-Ports, près de la ville de Lasée. Il s'était écoulé beaucoup de temps et la navigation devenait dangereuse, l'époque du Jeûne était déjà passée. Alors Paul fit entendre ces paroles d'avertissement: «Je vois que la navigation ne se fera pas sans péril et sans de graves dommages non seulement pour la cargaison et le bâtiment, mais aussi pour nos personnes...» Mais le centurion se fiait plutôt au pilote et à l'armateur qu'à ce que disait Paul. Le port n'était pas bon pour hiverner, aussi la plupart furent d'avis d'en repartir et de tâcher de gagner Phénix, port de la Crète, abrité au sud-ouest et au nord-ouest, pour y passer l'hiver. Une brise du Sud s'étant mise à souffler, ils crurent qu'ils exécuteraient à leur gré leur dessein, et ayant levé l'ancre, ils côtoyèrent de près l'île de Crète. Mais bientôt un vent furieux, appellé Euraquilos, s'abattit sur l'île. Le navire se trouva entraîné sans pouvoir résister à l'ouragan, et nous nous laissâmes aller à la dérive» (Actes 27, 8-15).

L'escale de Paul à Bons-Ports eut très vraisemblablement lieu en automne 61. Cette baie, appelée en grec Kali Liménès, est située à l'extrémité sud de la Crète, à

134. Crète, vue du palais minoen de Cnossos

136. Crète, le village de Loutro, identifié avec Phénix qui est mentionné dans les «Actes des Apôtres»

137. Crète, la petite église d'Apôtre Paul près de Loutro

proximité de l'ancienne ville de Gortyne et de son port Lévéna. A l'E. de celui-ci se trouvait la ville de Lasée, mentionnée dans les «Actes des apôtres», tandis que Phénix est identifié avec le village actuel de Loutro, dans le département de Hania (La Canée). Bien qu'il n'existe aucun renseignement à ce sujet dans les sources, la tradition locale considère que Paul, outre Kali Liménès, visita également Loutro, à proximité duquel une église dédiée à l'apôtre Paul fut érigée au XVe s. Mais il existe aussi aujourd'hui, à Kali Liménès, une petite église commémorant la visite de Paul et l'on peut voir dans les environs une grotte marquée d'une croix de bois, où l'apôtre aurait trouvé refuge.

Nous ignorons combien de temps dura l'escale jusqu'à ce que fût décidé le départ pour Phénix. De même que nous ignorons les résultats de ce séjour. Toutefois la plupart des chercheurs pensent que Paul visita une deuxième fois la Crète, après sa remise en liberté, en 64 apr. J.-C. Cette théorie s'appuie sur un passage de l'Epître à Tite et est contestée principalement par ceux qui ne reconnaissent pas l'authencité de cette épître.

«Je t'ai laissé en Crète pour que tu mettes en ordre tout ce qui reste à régler et que tu établisses, comme je te l'ai prescrit, des anciens dans chaque ville» (Tite 1,5). Selon ce qui précède, Paul se rendit en Crète et, avant de repartir, y installa Tite. Il semble que Paul se souciait particulièrement des chrétiens de Crète, parce que, comme il l'écrit dans sa lettre: «L'un d'entre eux, leur prophète, a dit: «Crétois,

toujours menteurs, méchantes bêtes, ventres paresseux». Ce témoignage est vrai. Reprends-les donc sévèrement, afin qu'ils aient une foi saine» (Tite 1, 12-13). Cette citation est attribuée à Epiménide, poète, législateur et devin, né à Cnossos au VIIe s. av. J.-C.

Cependant la Crète fut parmi les premières régions de Grèce à croire au christianisme, puisque, très vite, il s'y organisa une communauté chrétienne et que Tite

fut nommé évêque. Après sa mort, Tite devint le saint patron de l'île, qui honore sa mémoire le 25 août. A Gortyne, qui fut la capitale de l'île sous la domination romaine, une basilique consacrée à St Tite fut élevée au VIe s. On peut encore voir aujourd'hui l'abside tripartite orientale de cette église reconstruite au Xe s. A Héracleion, il existe également une église dédiée à saint Tite, qui fut la cathédrale de la ville à l'époque mésobyzantine.

138-139. Crète, l'église de St Tite à Gortys, VIIe s. après J.-C.

LA FIN
DE PAUL

Le vent qui faisait rage en Crète - très probablement un vent étésien appelé «meltème» - entraîna le navire de Paul en Adriatique et le jeta sur les rochers; toutefois tous les passagers purent gagner sains et saufs l'île de Malte. A terre, une vipère attaqua Paul, mais, avec l'aide de Dieu, celui-ci échappa une fois de plus au danger. Un autre bateau, passant par Syracuse, Rhegium (Reggio di Calabria) et Pouzzoles, le transporta à Rome, où il fut emprisonné pendant deux ans, tout en jouissant du privilège de pouvoir réunir les chrétiens et de prêcher l'Evangile (62-64 apr. J.-C.). C'est au cours de cette première incarcération qu'il écrivit les Epîtres aux Philippiens, aux Colossiens, à Philémon et aux Ephésiens, bien que d'aucuns pensent que certaines d'entre elles furent rédigées pendant sa captivité à Ephèse. Paul fut relâché pendant un certain temps et aurait réussi, dit-on, à réaliser une quatrième mission, qui comprenait l'Espagne, l'Asie Mineure, la Crète, la Macédoine et l'Illyrie. C'est au cours de ces années que furent vraisemblablement rédigées les Epîtres à Timothée (I et II) et à Tite. De retour à Rome, Paul fut jeté en prison pour la deuxième fois et mis à mort lors des persécutions de Néron, en l'an 67 de notre ère.

La condamnation à mort de Paul a privé l'humanité de l'ambas-

140. Monnaie byzantine

141. Apôtre Paul, fresque dans l'église de Saint-Paul à la ville contemporaine de Corinthe

Ὁ Γ Α
ΠΑ
ΛΟC

ΔΕΗCΙC ΟΙΚΟΓ.
ΧΡΗCΤΥ ΜΑΝΤΑ
ΕΙC ΜΝΗΜΗΝ
ΓΟΝΕΩΝ

ΔΙΑ ΧΕΙΡΟC
ΠΑΥΛΥ CΡΦΑΤΗ

sadeur, le plus important peut-être, du christianisme, mais n'a pas pu ébranler les fondements de son œuvre. Ses efforts avaient été fructueux de son vivant, étant donné qu'à la suite de chacune de ses visites dans les villes de la Méditerranée, les communautés chrétiennes étaient fondées les unes après les autres. Ses sermons enflammés et son souci constant en vue de l'organisation des Eglises offraient aux chrétiens un support indispensable au raffermissement de leur foi. Les principes que Paul a enseignés avec passion ont constitué une source de force inépuisable aux mains des chrétiens persécutés, surtout sous Néron et Dioclétien. Ainsi, les dogmes du christianisme ont pu, malgré les cruelles persécutions, se répandre sur l'ensemble de l'Etat romain, faisant de plus en plus

d'adeptes. A l'époque de Constantin Ier le Grand (305-337 ap. J.-C.), l'empereur lui-même a été inspiré par le christianisme, qui, en 381 ap. J.-C., est devenu la religion officielle de l'Etat grâce aux édits de Théodose (379-395 ap. J.-C.). Au cours des quatre siècles qui ont été nécessaires à la consolidation du message de Jésus-Christ, nombreux ont été ceux qui ont combattu et ont enduré des martyres, restant fidèles à leur foi et donnant ainsi l'exemple à tous les chrétiens. Parmi eux, la figure de Paul reflète toutes les luttes des chrétiens, son œuvre apostolique étant l'apogée de celles-ci. C'est à juste titre qu'il est considéré, de nos jours, comme le second, après le Christ, fondateur de la religion chrétienne.

142. La Résurrection, mosaïque du monastère d'Ossios Loukas, vers 1030-1040 après J.-C.